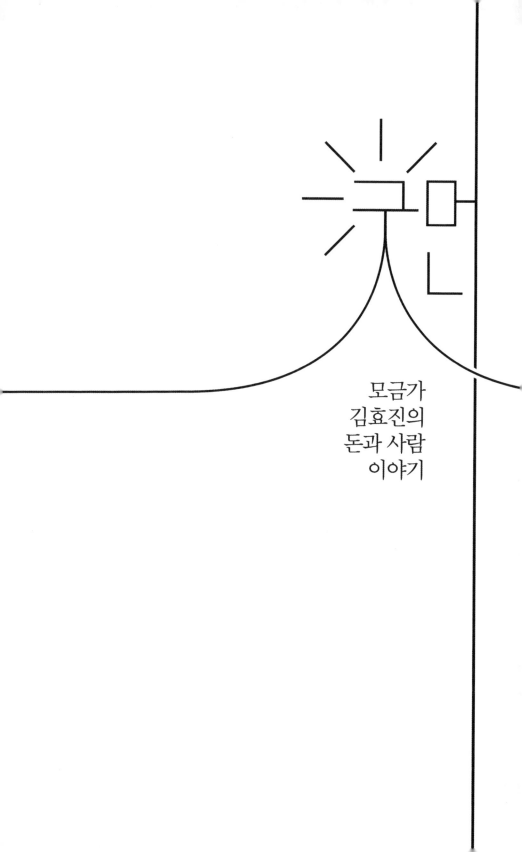

굿맨

모금가
김효진의
돈과 사람
이야기

남을 위한 착한 헌신이나 공동체를 위한 희생 혹은
이타주의적 행위만으로 기부를 '진지하게' 규정했던
시대는 지나갔다.

목차

제1장 남을 돕는 사람들

얼굴 없는 천사의 거리   13

땅끝마을 지역아동센터 아이들 일동   21

불멸의 삿포로 할아버지 청년   25

옥탑방 할머니 김춘희   35

착한 택시 운전사   41

아녀 소사이어티   47

코로나19 모금   51

한국 특유의 기부 문화   55

제2장 어떻게 도울 것인가

따뜻한 이타주의자와 냉정한 이타주의자   63

너는 가난한 사람이야   73

사랑은 타이밍이다   79

어디론가 다시 떠밀려간 사람들   83

보호종료아동   87

개용 프로젝트   91

제3장 사랑스럽고 유용한 기부

레스토랑 기부론   99

주는 사람의 행복   105

아이스 버킷 챌린지   111

라일락 이파리와 소액 다수의 힘   117

누가 트레비분수에 동전을 던질 것인가   123

예측하지 말고 실천의 불을 켜라   131

악몽과 같은 그때   135

제4장 모금가가 기부자를 만날 때

묻기만 하면 된다   143

기부자가 아니라 모금가가 먼저 지치기 때문에   147

견고하게 잘 듣기   153

기업의 새로운 이익, 사회경쟁력   159

넛지   165

앞사람 따라 하기   171

뜻밖의 소확행   177

목차

제5장 모금가 김효진

수영을 배우는 물고기	183
작고 사소한 일의 힘	189
진정한 지식	195
불멸에 대하여	199
웰다잉과 웰기빙	203
이름에 대하여	207
한 번도 해보지 않은 일을 해보기	211
부자가 되는 비결	215
문제없는 것만 하는 사회	221
갈등의 산맥을 넘어	227
혐오와 차별 바이러스	235

편집여담   239

에필로그   249

제1장

남을 돕는 사람들

얼굴 없는
천사의 거리

익명 기부자의 이름은 알려지지 않았다.
대신 노송동 그 거리는 '얼굴 없는 천사의 거리'라는
이름을 얻었다. 이 기부자는 지역사회의 모든 사람에게
시민의식이라는 값비싼 품격도 기부한 셈이다.
이것이 바로 선한 영향력이다.

선한 목적으로 기부하면서 익명으로 하는 사람들이 있다.

2007년 11월, 미국 펜실베이니아 주에 있는 이리Erie 시에 엄청난
익명 기부자가 나타났다. 작은 도시 안에 있는 46개 자선단체에
1억 달러를 기탁한 것이다. 한국 돈으로 1천억 원이 넘는 거액이
다. 이리커뮤니티재단의 요청으로 46개 자선단체장들이 모였다.
도착한 그곳 탁자 위에는 웬 휴지 상자가 놓여 있었다. 처음에는
그게 뭔지 아무도 몰랐지만 곧 그 휴지 상자가 기탁증서라는 게
밝혀졌다. 모든 자선단체에 배분될 것이라는 소식에 어떤 참석
자들은 울음을 터뜨리기도 했다. 빈곤율이 미국 평균의 2배가 높
은 이 가난한 지역에 커다란 감동이 퍼져갔다. 기부자의 이름은
아직도 '이름 모르는 친구Anonymous Friend'로 남아 있다.

35년 동안 약 9조 원을 익명으로 기부한 '행복한 거지' 찰스 F 피
니Charles F. Feeney의 이야기도 유명하다. 그는 살아생전 전 재산을
기부하겠다는 약속을 지켰다. 피니는 공항면세점 체인 사업으로

큰 부자가 되었다. 1982년부터 시작된 그의 익명 기부가 세상에 알려지게 된 것은 우연한 사건 때문이었다. 그의 사업체가 분규에 휘말리면서 회계 장부가 공개되는 바람에 그동안의 익명 기부 사실이 세상에 알려진 것이다. 거액을 기부하는 부자였지만 일상은 소박했다. 임대아파트에서 부인과 함께 살면서 여행할 때에는 버스를 타고 다녔다. 뉴욕에 살 때에는 맨해튼 변두리의 허름한 식당에서 햄버거를 즐겨 먹었다고 한다. 사람들이 그에게 기부하는 이유를 묻자, 그는 이렇게 답했다.

— 돈이 많아도 두 켤레의 신발을 동시에 신을 수는 없으니까요.

최소한의 생활비 이외의 돈은 자신에게 불필요하다는 뜻이었다.

익명 기부자가 미국에만 있을까? 한국에도 많다. 전주 노송동에는 매년 연말이면 '얼굴 없는 천사'가 A4 종이를 담는 박스에 거액을 놓고 간다. 이 얼굴 없는 천사는 2000년 4월 '어려운 이웃을 위해 써 달라'며 58만 4천 원을 노송동 주민센터 인근에 놓고 갔고, 그것을 시작으로 매년 수천만 원에서 1억 원 상당을 기부해 왔다. 19년 동안 기부금 6억 834만 660원을 놓고 사라졌다. 공동모금회[1]에서는 이 기부금으로 지역사회 어려운 가정의 아동청소년을 지원해 왔다.

---

1 1998년 7월 1일 법률 제5317호로 사회복지공동모금법이 시행되었으며, 이 법에 기초하여 사회복지법인 '사회복지공동모금회'가 설립되었다. 흔히 〈사랑의 열매〉로 칭해진다. 이 책에서도 주로 〈사랑의열매〉로 약칭했다.

그런데 해외 토픽에 나갈 만한 부끄러운 일이 2019년 12월에 벌어졌다. 그 돈을 탐낸 범인 두 사람이 사흘간 잠복하다가 얼굴 없는 천사가 놓고 간 돈을 훔쳐 달아난 것이다. 그러나 그 둘은 그날 바로 체포되었다. 이상한 차량이 있다고 생각한 한 시민이 범행 자동차 번호를 기록한 덕분이었다. 이 시민도 범인을 잡은 포상금을 기부했다.

익명 기부자의 이름은 알려지지 않았다. 대신 노송동 그 거리는 '얼굴 없는 천사의 거리'라는 이름을 얻었다. 이 기부자는 지역사회의 모든 사람에게 시민의식이라는 값비싼 품격도 기부한 셈이다. 이것이 바로 선한 영향력이다.

탤런트 문근영 씨의 익명 기부 이야기를 빼놓을 수 없다. 내 이름이 많이 거론되는 이야기이기도 하다. 십수 년 전의 일이지만, 그때는 정말 기자들에게 욕을 많이 먹었다. 어째서 모금회가 익명 기부의 뜻을 끝까지 지켜주지 못했느냐는 비난이었다.

문근영 씨는 대단한 기부자다. 대중의 사랑을 이유로 긍정적인 이미지가 중요한 연예인이 그렇게 장기간 소리소문 없이 8억 5천만 원을 기부한다는 것은 쉬운 일이 아니다. 문근영 씨는 지금도 조용하게 기부를 이어오고 있다.

2008년 11월은 공동모금회 창립 10주년이 되는 해였다. 나는 당시 홍보 담당자로 10년간의 모금과 배분 기록을 홍보해야겠다고 생각했다. 기업과 개인의 역대 기부를 발표하기로 했다. 이것이 나중에 그렇게 큰일이 될 줄은 몰랐다. 역대 기부 순위 개인 1위가 문근영 씨였다. 당시에는 개인 고액 기부자 수가 적었던 시절이었다. 단연 돋보였다. 그러나 웬일인지 문근영 씨 측에서 기부 순위 1위라는 보도를 원하지 않았다. 익명 기부로 해달라는 것이다. 할 수 없이 익명의 연예인으로 보도자료가 나갔다.

— 기자들과 네티즌들의 추적이 거셌다.

기자들은 여러 명의 후보 연예인 이름을 거론하면서 이중 있지 않느냐고 추궁했다. 일이 너무 커져버린 것이다. 늘어나는 호기심과 몰려오는 질문을 막는 데 한계가 있었다. 더구나 이미 〈사랑의열매〉 홈페이지에 문근영 씨 기부 소식이 여기저기 있었기 때문에 단서를 찾아내는 게 어려운 일도 아니었다. 하는 수 없이 문근영 씨 측에서도 나쁜 일도 아니니 공개에 동의했다.

공개되고 나서야 왜 기부 사실을 숨기려고 했는지 그 이유를 알게 되었다. 문근영 씨가 원하는 것은 그저 기부를 통한 선한 영향력 그 자체였다. 하지만 언론과 대중은 그 진정성의 뒷면을 끝까지 파헤치고 싶어했다. 질투와 시기심을 표현하는 네티즌도 있었다. 진정성을 의심하는 댓글도 생겼다. 하지만 달의 뒷면에는 달이 있다. 진정성의 뒷면에도 진정성이 있을 뿐이다.

내가 만난 대부분의 스타들은 기부에 대해 매우 조심스러워했다. 자신이 번 것에 비해 너무 적은 금액을 기부하는 것은 아닌지, 기부해서 대중으로부터 오히려 안 좋은 소리를 듣는 것은 아닌지 걱정을 많이 했다. 누적 기부금이 10억 원이 넘어서야 비로소 공개에 동의한 스타도 있었다. 스타들의 기부는 안 해도 뭐라 하고, 해도 뭐라 하니까.

익명 기부를 하는 가장 큰 이유 중의 하나가 타인의 시선 때문이다. 가족이나 친척들이 혈연을 먼저 도와주지 않고 일면식도 없는 남을 도와주냐고 해서 익명 기부를 선택하기도 한다. 대기업 임원중에도 익명 기부자가 많다. 고액 연봉자들은 세금을 많이 내기 때문에 사실 기부하는 게 더 나은 재테크 방법일 수도 있겠다. 개인적으로 나는 이것을 '기부 테크'라 부른다. 기부자가 무엇인가 편익을 얻으면 사람들은 기부의 순수성을 의심하지만, 또 인기스타와 부자와 정치인들이 기부로 이미지가 좋아지면 순수한 기부가 아니라지만, 사실 모금 현장에서는 그런 순수한 기부가 차지하는 비율이 매우 적다. 순수하든 순수하지 않든, 익명이든 익명이 아니든, 기부가 우리 사회를 선하게 만들어준다는 사실에는 변함이 없다.

나는 이런 생각을 해본다. 익명 기부는 익명 기부 대로 의미가 있고, 당당하게 이름을 밝히는 것은 당당하게 이름을 밝히는 것대로 의미가 있다고 생각하는 문화, 그런 문화가 더 성숙한 게 아닐까. 오른손이 한 일을 왼손이 모른다는 것은 신체 기능에 무

슨 문제가 있지 않고서야 불가능한 일이다. 그만큼 모르게 하라
는 소리지만, 오른손이 한 일을 왼손이 아는 것은 지극히 당연한
일이다.

돈이란 돌고 돌아서 '돈'이라고
부른다고 하지 않던가요?
돈은 아무 잘못이 없습니다.
쓰는 사람이 〈굿머니〉를
만들거나 〈배드머니〉를
만드는 것입니다.

땅끝마을
지역아동센터
아이들 일동

사람들은 나눔을 경제적으로 여유가 있는 상황에서나
할 수 있는 것으로 생각한다. 하지만 가진 것의
일부를 나누는 재물의 나눔이 전부는 아니다.

〈사랑의열매〉 전남지회는 매년 전남 '땅끝마을 지역아동센터 아이들 일동'이란 이름으로 기부금을 받는다. 벌써 13년째 이어져오는 이 지역아동센터의 전통이다. 땅끝마을 지역아동센터 선생님은 십여 개의 저금통을 내려놓으면 말했다.

— 매일 날씨가 좋았으면 더 많이 모았을 거예요. 적은 금액이지만 우리 아이들이 날씨 좋은 날 버스를 타지 않고 4km를 걸어서 아낀 동전들입니다.

저금통에는 10원 186개, 50원 187개, 100원 1,498개, 500원 187개의 동전과 천 원짜리 지폐 21장이 쏟아져 나왔다. 지역아동센터 아이들이 여린 발품을 견디며 차비를 아껴 모은 27만 5,510원. 책상 위에 수북이 쌓이는 그 지폐와 동전들은 그 어느 돈보다 소중하게 느껴졌다.

땅끝마을 지역아동센터는 한때 경영 형편이 어려워져 거리로 쫓겨날 뻔한 적이 있었다. 당시 안타까운 소식을 들은 배우 문근영 씨가 큰 기부를 해서 새로운 보금자리를 마련할 수 있었다. 아이들은 그 이후로 매년 〈사랑의열매〉에 동전을 모아 기부하고 있다. 받은 사랑을 되돌려 주기 위해서다. 더 놀라운 것은 처음 도움받은 어린이들만이 아니라 그 다음 세대로 이어져 오고 있다는 것이다. 처음 문근영 씨에게서 도움을 받은 아이는 어른이 되어, 결혼을 하고, 한 아이 아버지가 되어서 다시 기부 행사에 참여하기도 했다. 이처럼 기부는 사람과 사람 사이를 잇는 보이지 않는 고리처럼 이어지고 더 커진다는 속성이 있다.

사람들은 나눔을 경제적으로 여유가 있는 상황에서나 할 수 있는 것으로 생각한다. 하지만 가진 것의 일부를 나누는 재물의 나눔이 전부는 아니다. 나눔의 근본정신은 다른 사람에 대한 배려와 행복한 공동체를 만들려는 관심과 노력에서 시작한다. 배려와 이해를 나눔이라는 행동으로 옮기는 과정에서 행복을 얻고, 이를 다른 사람에게 전할 때 더 큰 행복감을 갖는 것이 나눔의 본질이 아닐까.

기부자에게 찾아가 기부할
때까지 적극적으로 요청하기를
잘 한다고 자랑하는
모금가가 있다.
이것은 모금이 아니라
불법 채권 추심 같은 것이다.

모금가가 채권 추심단은
아니지 않은가?

불멸의 삿포로
할아버지 청년

그때까지도 나는 그를 충분히 이해하지 못했던 것
같다. 개인 최고액을 모금해서 조직에서 인정받는
모금가가 되겠다는 나의 야망만 뚜렷했다. 그는 내
욕심을 알아챘을까? 갑자기 이런 팩스를 보내왔다.

― 너 같은 후레자식에게는 기부하지 않겠다.

— 모금한 액수만큼 빚진 것이다.

흔히 모금가 사이에서 하는 말이다. 빚진 마음으로 기부자의 마음을 헤아리고 성심을 다하라는 뜻이다. 가족 생일만큼이나 내가 절대 잊지 않는 날이 있다. 2013년 4월 12일. 그날은 어느 재일동포가 당시 〈사랑의열매〉 개인기부 사상 최고액인 29억 1천 4백만 원을 기부한 날이다. 지금은 이 기록이 깨졌지만 당시에 10억 원 이상의 개인 기부도 없을 때라 의미가 매우 컸다. 삿포로 재일동포 기부자 이야기를 해보자. 모금가인 내게 새로운 전환점을 주었던 일이다.

2012년 5월이었다. 대학노트에 펜으로 휘갈겨 쓴 글귀.

— 한국에 2억 엔을 기부하고 싶다.

이 일본어 편지 한 장이 몰고 올 어마어마한 이야기를 그 당시에

는 짐작도 못했다. 이 편지는 여러 사람의 손을 거쳐 내게 왔는
데 그 누구도 이 편지의 진의를 믿지 못했던 것 같다. 2억 엔은
당시 한국 돈으로 30억원이 넘는 큰돈이었다. 마치 바닷가에서
우연히 주운 유리병 속 편지 같았다.

일본어로 만나고 싶다고 편지를 보내자 삿포로 기부자는 답장을
보내왔다. 처음 답장을 받던 날은 흥분의 도가니였다. 마치 보물
지도의 실체를 확인한 것 같은 느낌이랄까. 나는 우선 삿포로 기
부자의 신분을 확인해 줄 만한 한국의 지인들을 만났다. 그의 유
일한 친구였던 은퇴한 치과의사도 만났고, 그가 매우 신뢰했던
은퇴한 삿포로 영사도 만났다. 그러면서 확신은 점점 깊어갔다.
몇 통의 편지를 주고받은 후 그해 유월 삿포로에서 처음 그를 만
났다.

기부자는 한국 나이로 90세가 넘었지만 청년이라는 생각이 들만
큼 외모나 생각이 젊었다. 직접 만나기 전까지만 해도 거동이 불
편한, 인생을 마무리하기 위해 기부하려는 어르신 정도로 생각
했다. 막상 만나고 보니 깔끔한 복장에 활력이 넘치는 모습이었
다. 게다가 그는 기억력도 좋았는데 신기하게도 다른 것은 정확
하게 떠올리면서도 몇 년도에 입학했고 언제 은퇴했는지에 대해
서는 잘 기억하지 못했다. 떠올리고 싶지 않았는지도 모른다. 고
향이 어디냐고 몇 번이나 물어봐도 그냥 평안북도라고만 말했
다. 자신이 기억하고 싶지 않은 일에 대해서는 말을 아꼈다. 한
국어를 거의 못했기 때문에 일본어 통역을 통해 말을 주고받았다.

그의 인생은 드라마였다. 마치 격동의 한국 근현대사의 주인공 같았다. 1925년 평안북도의 유복한 집에서 태어났고, 중학교는 중국 청도에서 다녔으며 고등학교 때 일본 오사카로 유학을 갔다. 오사카에서 고등학교 다닐 무렵 태평양전쟁이 막바지에 이르렀고, 영원할 것 같았던 일본제국은 패망의 끄트머리에 와 있었다. 그러다가 이북에는 공산정권이 들어섰고, 그로 인해 하루아침에 가족의 생사를 모르게 되었다. 낯선 이국에서 생활비와 학비를 받아 공부했던 청년에게는 청천벽력 같은 일이었다. 그는 살아남기 위해 일본인으로 귀화해서 한국이름 '강대욱'을 버리고 '나카하라 마사오(中原正雄)'가 되었다. 그는 '강대욱'이라는 한국 이름으로 불리기를 싫어했다. 이유는 지금도 잘 모르겠다. 아예 이유를 물어보지도 못하게 했다.

대학 입학 당시 그보다 공부를 못했던 학우들은 모두 합격했는데, 1등을 놓친 적이 없었던 그는 대학입학 합격자 명단에 없었다. 다만 합격자 명단 하단에 '나카하라는 교무실로 오시오'라는 글이 적혀 있었다고 한다. 교무실로 간 식민지 청년은 위축될 수밖에 없었다. 일본 선생은 '네가 조센징이라 합격시킬지 안할지 고민하고 있다'라는 말을 했다. 그는 바로 '저는 일본제국의 황국신민'이라며 그 자리에서 무릎을 꿇었다는 것이다. 살면서 그 일이 가장 부끄러웠지만, 대학에 들어가기 위해서는 그 방법밖에 없었다고 했다. 의대에 입학한 후 그는 유능한 정형외과 의사가 되었고, 독신으로 살면서 온갖 차별과 아픔을 견뎠다. 제약회사가 연구 결과를 살 만큼 능력을 인정받는 의사였지만 한 번도 정

교수가 되지 못했고, 고향 같던 오사카를 버리고 삿포로로 가야
할 정도로 일본사회는 영원히 그를 차별했다.

서울과 삿포로를 잇는 80여 통의 팩스를 통해 우리는 기부금을
어디에 어떻게 지원할지 대화를 나누었다. 그는 일본어로 자신
의 의견을 써서 팩스로 보냈고, 나는 그것을 한국어로 번역해서
읽어보고, 다시 일본어로 번역해서 팩스를 보냈다. 그는 이메일
을 쓰지도 않았고, 휴대폰도 없었다. 자신만의 고독 속에서 살았
다. 2012년 11월 두 번째 만남이 있었다. 그동안 만든 기부금 배
분계획을 보고하기 위해서였다. 그러나 그때까지도 나는 그를
충분히 이해하지 못했던 것 같다. 개인 최고액을 모금해서 조직
에서 인정받는 모금가가 되겠다는 나의 야망만 뚜렷했다. 그는
내 욕심을 알아챘을까? 갑자기 이런 팩스를 보내왔다.

— 너 같은 후레자식에게는 기부하지 않겠다.

'후레자식'이라는 표현 하단에는 일본어 번역가가 당구장표시와
함께 적어놓은 메모가 있었다.

— 이 표현은 한국말 '후레자식'과 같은 의미입니다. 김효진 단장
님, 너무 마음에 상처받지 마세요.

번역가가 자기 의견을 넣은 것은 이때가 처음이었다. 하필 후레
자식이라니… 그 수많은 시간이 수포로 돌아간 것 같아 허탈했

다. 다만 편지 하단에, '통역도, 수행도 없이 김효진 너 혼자 삿포로에 오면 만나주지'라는 문구가 적혀 있었다. 정말 가야하는지 수없이 고민했다. 동료들은 일본 할아버지에게 당했다며, 그만큼 했으면 최선을 다한 것이라는 말을 했다. 두 번의 출장을 다녀 온 후라 조직에 다시 출장 보내달라는 말을 하기 어려웠다. 고민 끝에 휴가를 내고 삿포로행 비행기에 몸을 실었다. 〈사랑의 열매〉회장께는 개인적인 휴가라고 말했다. 보고를 드리지 못하고 나온 것이 걸려서, "회장님. 이러저러해서 다시 삿포로에 갑니다. 죄송합니다. 자세한 것은 돌아와서 보고 드리겠습니다."라는 문자를 보냈다. 혹시 '가지 마라'는 불허 명령의 전화가 올까봐 전원을 서둘러 껐다. 거의 모험과 같은 출장이었다. 심장이 두근거렸다. 통역도 없이, 잘 될 것이라는 기약도 없이, 눈 내리는 삿포로 신치토세공항에 도착했다.

도착해서 전화하니 받지 않았다. 자동응답기 너머로 들리는 일본어는 더 이국적으로 들렸다. 열 통의 전화와 음성 메시지를 남겼지만 그는 없었다. "그 흔한 휴대폰도 안 쓰는 영감님… " 혼잣말로 중얼거렸다.

눈 내리는 오도리 공원 시계탑 앞을 걷다가 미끄러져 대자로 누운 채로 삿포로 하늘을 올려다보았다. 눈이 엄청 내렸다. 나는 어디에, 왜 여기에 와 있는지 혼란스럽고 당황스러웠다. 이내 정신을 차리고는 비행기 표를 하루 더 미루고 숙소도 연장했다. 여기까지 온 이상 반드시 만나고 말겠다는 결의가 생겼다.

밤 9시가 돼서 그에게서 전화가 왔다. 도쿄 갔다 오는 길인데, 내가 묵는 숙소로 오겠다고 했다. 본인이 약속한 날을 잊은 것이다. 그런데도 내 탓을 했다. 진짜 올 줄 몰랐다는 투였다. 숙소 방에서 많은 대화를 나누었다. 대화는 영어로 했고, 어려운 말은 종이 위에 한자를 쓰면서 주고받았다. 나는 대학에서 동수회東修會라는 한문동아리에 다녔다. 그때 당시에는 내가 왜 취직도 잘 안되는 동아리에서 '대학, 논어, 맹자, 중용'을 공부하며 시간을 보냈는지 몰랐으나, 그 순간 깨달았다.

— 나카하라 할아버지와의 이 기막힌 대화를 위해서.

한참 대화를 하다가 자신의 집으로 가자고 했다. 오래된 작은 맨션이었다. 난방이 되지 않는 좁은 다다미방은 입에서 김이 나올 정도로 춥고 어두웠다. 그는 일제 강점기에 같이 고생했던 한국의 동시대 고령자들을 도와주고 싶은 마음에 기부를 결심했다고 한다. 그는 노인을 '고령자'라고 불렀다.

— 효진, 내 마음을 알겠나? 돈만 달라고 하지 말고 마음을 읽었어야지.

나는 부끄러웠다. 그 마음을 충분히 이해하지 못했음을 깨닫게 되었다. 진한 큐슈 녹차를 마시면서 긴 이야기를 나누다 보니 어느덧 새벽 3시를 넘어섰다. 길가에는 치운 눈이 집채만큼 쌓여있었다. 그날 숙소로 돌아와 흥분된 마음이 가라앉지 않아 한숨도

자지 못했다. 밤새 눈이 내렸다. 폭설로 외국 항공사들은 결항되었지만 한국행 비행기만 유일하게 출발했다. 나카하라 할아버지와 짧은 통화를 하고 한국으로 떠났다.

그는 기부를 했고, 한국을 한번 방문해서 경주를 여행하며 깊은 우정을 나누었다. 나도 삿포로를 한 번 더 찾았다. 그는 나와 대화하면서 유년기에 사용하고 잊어버렸던 한국어를 되찾을 수 있었다. 우리는 차츰 국적불명의 언어로 대화했다. 그는 내가 영어보다는 한국어로 말해주기를 바랐다. 내 영어 발음을 못 알아듣겠다면서. 후식으로 나오는 매실차를 보고 물어본다.

— 이게 뭐지?
— 네, 우메티입니다.

일본어 '우메', 영어 '티'에 한국어 '입니다'를 붙였다. 이렇게 대화하면서 한국어를 익혀나갔다. 이렇게 이야기가 마무리되었다면 참 아름다운 이야기였을 텐데, 약간의 반전이 있었다. 기부한 후 '머리가 아파서 입원하니 먼저 연락할 때까지 찾지 마라'는 팩스를 받았다. 3개월이 지난 후에 다시 만난 그는 좀 달라져 있었다. 좋은 기억은 다 희미해지고 불만만 가득한 사람이 되어 있었다. 나와 같이 한 경주 여행, 홋카이도 조잔케이 온천에서 나누던 이야기들은 다 잊은 듯했다. 어딘가 서운하고 멀게 느껴졌다.

나는 그 이후 지회로 인사발령이 났고, 이 일을 맡은 사람들마다

다 힘들어 한다는 소식을 들었다. 마음이 너무 아팠다. 부디 건강하고 뜻하는 대로 잘 이루어지기를 바라는 마음뿐이었다. 그분은 내게 단순한 기부자가 아니라 인생의 큰 가르침을 준 '청년 스승'이었다. 그리고 2019년 12월, 그가 세상을 떠났다는 소식을 전해 들었다. 그와 경주여행에서 찍은 사진을 모니터 화면에서 보면서 흐르지 않는 눈물이 응어리처럼 맺혔다. 좋은 기억으로 서로 만났을 당시 그는 내게 이런 말을 해주었다. 북한 사투리가 섞인 말투였다.

— 지나간 시간에 미련 두지 마라. 인생 길디 않아. 항상 청년의 마음을 가지라. 이제 시작이야.

어두운 상황에서 사람들은
어둡다고 말한다.
그러나 누군가는 불을 켠다.
그때 우리는 빛을 본다.

옥탑방 할머니
김춘희

나는 그때까지 유산기부에 대해서는 외국사례로만
생각했지 한국에서 할 수 있을 것이라고는
생각하지 못했다. 그리고 유산기부라 하면
큰 자산가들이 할 수 있는 것이라는
생각만 하고 있었다.

한 방울의 파랑색 잉크를 물컵에 떨어뜨리면, 컵 전체가 파란 색깔로 바뀐다. 뜻하지 않은 어떤 우연한 계기나 작은 사건이 전체를 바꾸기도 한다. 부정적인 상황에서는 '깨진 유리창의 법칙'과 같다. 작고 사소한 잘못이 나중에는 걷잡을 수 없이 크게 확산되는 것이다. 큰 제방이 무너지는 것도 작은 구멍에서 시작되듯이 말이다. 그러나 반대로 긍정적인 상황에서 작은 시작이 큰 결과를 만들기는 매우 힘들다. 왜냐하면 대부분 작은 시작을 기회라고 여기지 않기 때문이다. 눈여겨 보지 않던 작은 시작과 기회들이 지금도 우리 곁을 흐르고 있는지도 모르겠다.

— 작은 시작은 세상을 바꾸기도 한다.

공동모금회에서 〈유산기부〉에 관심을 갖기 시작한 것은 2005년 1월 어느 기초생활보장수급자 할머니의 말 때문이었다. 당시 80세였던 고 김춘희 할머니는 "그동안 도움만 받았는데, 무엇인가 우리 사회를 위해 기여하고 싶다."면서 양천구 신정동 옥탑방 전

세금 천오백만 원을 유산기부하기로 했다.

언론에서는 김춘희 할머니를 '옥탑방 할머니'라고 불렀다. 전세금 천오백만 원은 할머니의 전 재산이었다. 1945년 해방 직후 홀로 월남한 김춘희 할머니는 떡과 생선을 팔고 행상을 하면서 어렵게 생계를 이어갔다. 할머니는 그런 가운데서도, 충남 홍성군의 한 보육원에서 십 년 동안 고아들을 돌봤다. 행상으로 힘들게 번 돈으로 어려운 이웃과 장애인들을 돕는 나눔의 삶을 살았다.

나는 그때까지 유산기부에 대해서는 외국사례로만 생각했지 한국에서 할 수 있을 것이라고는 생각하지 못했다. 그리고 유산기부라 하면 큰 자산가들이 할 수 있는 것이라는 생각만 하고 있었다. 그게 나름 이유가 있었다. 유산기부에 대해 모금기관이 관심을 크게 두지 않는 까닭은 '인고의 시간'이 필요하기 때문이다. 유산기부가 가장 활발하다는 영국에서도 첫 유산기부 상담에서 유산 집행까지 평균 18년의 시간이 걸린다고 한다. 더군다나 한국은 민법에 '유류분 제도'[2]가 있다. 기부자가 전 재산을 기부한다고 유언해도 유족들과 소송을 해야 한다. 또한 법적 공증을 받아야 하고, 그것에도 비용이 들며, 여러 가지 법적인 절차와 세금 문제 등 전문적인 지식이 필요하다. 게다가 유산으로 남기는

---

2 '유류분(遺留分)'이란 상속 재산 가운데, 상속을 받은 사람이 마음대로 처리하지 못하고 일정한 상속인을 위하여 법률상 반드시 남겨 두어야 할 일정 부분을 말한다. 피상속인이 유언으로 타인이나 상속인 일부에게만 유증을 하더라도 상속인이 유류분을 주장하여 상속 재산의 일부를 받을 수 있다.

재산은 현금뿐 아니라 주식, 채권, 미술품 등 비현금성 자산이 많은 편인데, 이를 현금화할 수 있는 전문성도 필요하다. 그래서 유산기부가 어렵다.

심리적인 문제도 있다. 돈과 죽음에 대한 이야기를 하기가 어렵다. 혈연에게 가업과 재산을 상속해야 한다고 생각하는 사람이 많다. 죽음에 대한 준비가 부족해서 사전연명치료중단이나 장기기증서약 같은 제도가 마련되어 있어도 잘 이루어지지 않는다. 미국의 경우 유언장을 남기는 사람이 전체의 50%에 가깝고, 유언장을 작성하는 사람 중 8%가 유산기부를 하지만, 우리는 유언장을 남겨야 한다고 하면 곧 죽기를 바라는 사람처럼 보여서 무엇인가 께름칙하게 생각한다.

이런 모든 유산기부의 난관을 단번에 깬 사람이 바로 옥탑방 할머니였다. 기초생활수급자로 정부 도움으로 어렵게 생활했지만, 2006년 12월에 250만 원, 2007년 12월에 500만 원을 기부했다. 정부 지원금 중 아끼고 아껴서 모은 정말 값진 돈이었다. 우리는 감동하면서 이렇게 말씀드렸다.

— 기부하지 마시고 할머니께서 쓰세요.

할머니는 고집을 꺾지 않으셨다. 나보다 더 어려운 사람들에게 주라면서 다 내놓으셨다. 2009년 9월 30일 김춘희 할머니는 휠체어에 탄 채 경복궁을 돌아보고 나서 삼계탕 한 그릇을 맛있게

드시면서 "오늘이 내 생애 최고의 날"이라고 말했다. 이날은 〈사랑의열매〉 서울지회 직원들이 유산기부를 한 할머니 다섯 분을 모시고, 고궁 나들이를 한 날이었다. 다음에 또 나들이 하자고 약속했지만, 이날이 마지막 나들이가 되었다.

2010년 2월 4일 평소 천식을 앓던 김 할머니는 호흡곤란 증세로 서울 구로성심병원으로 이송됐지만 급성심근경색증으로 세상과 영원한 작별을 고했다. 사람이 태어날 때에는 예정일이 있는데 떠나갈 때에는 예고가 없는 것 같다. 할머니는 모든 것을 주고 홀연히 떠나셨다. 시신까지 고려대 의대에 기증했다.

가족이 없이 홀로 사셨기 때문에, 〈사랑의열매〉 서울지회 직원들이 상주가 되어서 장례식장을 지켰다. 유독 추운 날이었다. 나도 조문하기 위해 장례식장을 찾았다. 나는 썰렁하고 아무도 없는 쓸쓸한 빈소를 생각했다. 그런데 사람들이 많았다. 직원들도 놀랐다고 한다. 그 옛날 충남 홍성군의 한 보육원에서 10년 동안 고아들을 돌본 적이 있는데, 그 어린이들이 성장해서 빈소를 찾아온 것이다. 옥탑방 할머니 소식을 듣고 온 시민들도 있었다. 마지막 떠나시는 길이 외롭지 않으신 것 같아 마음이 놓였다. 할머니는 다 알고 계셨다. 참다운 인생의 해피엔딩이 무엇인지 말이다.

할머니는 기부 확인서에 도장을 찍은 날 밤 기분이 좋아서 잠도 못 잤다고 한다. 2005년 1월, 세상에서 가장 아름다운 약속을 하는 날 말씀하셨다.

— 그깟 1,500만 원, 돈 많은 사람에겐 아무것도 아니지만 내게
는 전부나 마찬가지야. 이 돈으로 형편이 어려운 아이들이 공부
해서 훌륭한 사람이 된다면 더이상 바랄 게 없네.

착한 택시 운전사

아하, 박병준 씨는 수익 중 일부를 기부해야겠다고
'심리적 회계'를 미리 만들어 놓았기 때문에 어려운
형편에도 아무렇지도 않게 남을 도왔던 것이구나.

'착한 택시 운전사'. 박병준 씨의 새로운 별명이다. 그는 전 직장에서 월급과 퇴직금을 받지 못한 채 직장을 잃고 어려움을 겪었다. 그 후 택시 운전을 시작하면서 손님을 태울 때마다 100원씩 기부하기로 마음먹었다. 5개월 동안 5,796번 운행의 결실로 579,600원을 모아 이를 〈사랑의열매〉에 기부했다.

― 그는 새로운 일을 할 때마다 기부부터 시작하는 사람이다.

그와 나는 오랜 인연이 있다. 우리는 1999년 12월 24일 크리스마스이브에 모처럼 함박눈이 내리던 명동거리에서 만났다. 나는 당시 방송모금캠페인으로 명동에서 거리 모금을 하고 있었다. 모금함에는 보통 천 원짜리 지폐나 동전을 넣는다. 그런데 한 남자가 머뭇거리며 다가와 봉투를 넣었다. 박병준 씨였다. 그가 가지고 온 성금 봉투가 너무 두꺼워서 모금함에 들어가지 않았다. '좋은 일에 써 달라'면서 무심히 돌아서는 그를 붙잡았다. 연락처를 받고 그 후로 소식도 전하고 안부를 묻는 사이가 되었다.

그는 해마다 잊지 않고 연말 모금 캠페인 때가 되면 2백만 원 남짓 기부했다. 당시 그는 서울 은평골프연습장에서 코치로 일하고 있었다. 그는 기부금을 모으기 위해 매년 적금통장을 하나씩 마련했다. 적금은 매달 고객들로부터 받는 골프 강습료 13만 원 중 1만 원을 따로 떼서 모았다.

매우 더웠던 어느 여름날 그가 일하던 은평골프장을 찾았다.

— 기부하기 위해 적금을 붓는다는 게 쉬운 일은 아니잖아요? 생활 형편도 넉넉하지 않다고 하셨는데…
— 내 돈이 아니라고 생각하며 한 푼 두 푼 모았어요. 처음에는 집사람이 이해하지 못해 힘들었지만 지금은 반찬 값을 아껴 돼지저금통에 넣어줄 정도로 든든한 후원자가 되었어요.

그는 고등학교 졸업 후 상경해서 골프장에서 골프공을 주우면서 생계를 이어갔다. 주위 사람들의 도움으로 세미 골퍼가 될 수 있었고, 그때부터 자신을 도와준 사람에 대한 보답으로 기부하기 시작했다. 나는 그에게 '은평골프장 천사'라는 별명을 붙여주었다.

2004년 가을인가 그에게서 전화가 왔다.

— 골프 연습장 일자리를 잃어서 생활이 매우 어렵네요. 올해도 기부하려고 돈을 모으기는 했어요….

나는 기부하지 말고 생활이 나아진 후에 다시 하시라고 했다.

— 그렇게 힘든 상황인데, 억지로 기부할 필요는 없습니다. 선생님 마음이 생겼을 때 얼마든지 다시 하시면 돼요.

2004년, 2005년, 그는 어쩔 수 없이 기부를 하지 못했다. 그러더니 2006년에 새로운 일자리를 얻자마자 40만 원을 다시 기부했다. 기부를 하지 못하자 일이 잘 안 풀리는 것 같다며 취직하자마자 다시 모았다는 것이다. 그렇게 20년 넘는 세월 동안 서로 연락하고 안부를 물었다. 이제는 '착한 택시 운전사'로 만나게 되었다.

그가 기부하는 데에는 여러 가지 이유가 있었을 것이다. 〈기빙코리아 2018년 조사〉에 의하면, 사람들이 기부하는 이유로 다음과 같은 순서로 답했다고 한다.

— 시민으로서의 책임이라고 생각해서(31.3%).
— 불쌍한 사람들을 위해서(28.9%).
— 남을 돕는 것이 행복해서(20.6%).
— 남의 도움을 받은 적이 있고, 이를 갚고 싶어서(9.6%).

박병준 씨는 이 중 어떤 이유 때문에 기부를 이어오는 것일까? 사람들이 기부를 결심하고 행동으로 옮기기까지는 내면에 많은 결정을 하고 장애물을 넘어야 한다. 설사 마음을 먹었다 해도 행동으로 옮기는 것이 쉽지 않고 막상 기부하려고 하면 꼭 돈 쓸 일이 생긴다. '기부를 통한 보람'이 '돈 아깝다는 생각'보다 클 때 기부행위를 하게 되는데, 이 마지막 장애물을 넘기가 쉽지 않다. 사람들은 어떻게 이 장애물을 뛰어넘는 것일까? 이런 고민을 이어가다가 우연히 책에서 명쾌한 단어를 찾아냈다.

— 심리적 회계mental accounting.

노벨경제학상을 수상한 행동경제학자 리처드 세일러Richard H. Thaler 시카고대 부스경영대학원 교수가 창안한 개념이라고 한다. 한마디로 사람들은 돈에 꼬리표를 마음속에 정해두고 지출한다는 것이다. 사람들은 머릿속에 이 돈은 식비, 이 돈은 문화생활비, 이 돈은 기부금 등으로 따로 떼어서 지출한다는 말이다. 돈이란 '대체 사용가능하지만' 한번 정해진 것 외에 다른 용도로 잘 쓰지 않으려는 경향이 있다. 아하, 박병준 씨는 수익 중 일부를 기부해야겠다고 '심리적 회계'를 미리 만들어 놓았기 때문에 어려운 형편에도 아무렇지도 않게 남을 도왔던 것이구나. 반대로 박병준 씨처럼 수익 중 일부를 기부해야겠다고 심리적 회계를 미리 만들지 않으면 기부 행위로 옮기기가 쉽지 않겠구나.

사람들은 기부하지 않는
첫 번째 이유를 경제적으로
여유가 없어서라고 한다.
두 번째는 모금기관을 믿지
못해서라는 것이다. 세 번째는?

요청받지 않아서.

아너 소사이어티

흔히 사람들은 부자에게 백만 원은 작은 돈이라고
생각할지 모르지만 그렇지는 않다. 부자에게도
백만 원은 백만 원이다. 얼마나 값어치 있는 곳에
의미 있게 쓰느냐에 따라 '행복한 부자'인지가
결정될 뿐이다.

— 내 인생 최고의 선물은 무엇이었을까?

어떤 부인이 남편을 위해 기부 선물을 몰래 준비했다. 그것도 1
억 원 이상 기부하는 고액 기부자 모임인 〈아너 소사이어티〉 가
입이라는 특별한 선물이었다. 부인은 기부한다는 사실을 숨기
고, '광화문 나들이'를 가자며 남편과 두 아이를 데리고 외출했
다. 그리고 가족을 데리고 〈사랑의열매〉를 방문했다. 남편과 자
녀들은 〈아너 소사이어티〉 가입식장에 와서야 특별한 선물을 눈
치챘다. 놀라움을 감추지 못했다. 그리고 그 자리에서 1억 원을
기부하고 고액기부자 모임인 〈아너 소사이어티[3]〉 회원으로 가입
했다.

3　사랑의열매 사회복지공동모금회의 기부 프로그램으로, 1억 원 이상을 기부
하였거나 5년 이내 납부를 약정한 개인 고백 기부자들의 모임을 뜻한다. 2007년
12월, 미국 공동모금회의 〈토크빌 소사이어티〉를 모델로 만들어진 고액 기부자
모임인 〈아너 소사이어티〉는 지금까지 2,300명 이상의 기업인, 스포츠인, 연예
계 스타, 정치인 등 사회지도층 등 많은 사람이 참여하면서 한국의 대표적인 개
인 고액 기부 프로그램으로 자리잡고 있다.

부인은 이 선물을 신혼초부터 생각했다고 한다. 남편은 어릴 적 일찍 아버지를 여의고 어렵게 자랐지만 역경을 딛고 무역의 날에 5백만불 수출탑을 수상할 만큼 회사를 성공적으로 키워냈다. 남편은 어려운 가정환경을 극복하고 오늘의 성공을 이룬 것은 본인뿐만 아니라 사회의 도움이 컸다며 항상 나눔을 실천하고 싶어했다. 남편의 이러한 건실함과 나눔의 마음을 항상 자랑스럽고 존경스럽게 생각하던 부인은 남편에게 기부선물을 통해 '나눔의 기쁨'과 '성취감'이라는 큰 행복을 주고 싶다는 생각을 하게 된 것이다. 이후 15년 동안 기부 선물을 위해 생활비와 가게 수익금 등 조금씩 돈을 모아 1억 원이라는 거금을 만들었고, 마침내 남편을 위해 오랫동안 생각해오던 기부를 결심하게 된 것이다.

대구 출생의 어느 80대 익명 기부자가 있었다. 그는 6.25 전쟁으로 몹시 어려운 상황에 직면했는데, 그때 한 미국인 기부자가 그를 물심양면으로 도와준 덕분에 가난을 극복하고 교사가 될 수 있었다. 그는 은혜에 보답하고자 은인의 이름으로 기부하기로 결심했고 〈아너 소사이어티〉에 가입했다. 그는 이렇게 메시지를 전해왔다.

— 고 프랭크 F. 페이건Frank F. Fagan Ⅲ 씨는 어린 시절 아버지 같은 분이셨습니다. 고인의 지원 덕분에 학창시절을 보내고 교사까지 될 수 있었습니다. 우리 아이들에게 고인의 뜻이 잘 전달되어 자신과 같은 나눔이 이어지길 바랍니다.

기부자들의 공통점은 돈의 소중함을 알고 가치 있게 쓴다는 점이다. 흔히 사람들은 부자에게 백만 원은 작은 돈이라고 생각할지 모르지만 그렇지는 않다. 부자에게도 백만 원은 백만 원이다. 얼마나 값어치 있는 곳에 의미 있게 쓰느냐에 따라 '행복한 부자'인지가 결정될 뿐이다.

물론 〈아너 소사이어티〉 회원처럼 큰돈을 기부하는 사람들만 선물을 받는 것은 아니다. 받은 사랑을 되돌려 주는 너무나 의미 있는 돈을 기부하는 사람들도 있다. 그 액수와 상관없이.

코로나19 모금

대한민국 재난재해 모금 역사상
가장 큰 모금액이었을 것이다. 코로나19라는
전대미문의 사회적 재난이 사람들의 이타심에
불을 지핀 것이다.

제2차 세계대전 참전용사인 영국인 톰 무어 씨는 코로나19로 고생하는 영국 의료진을 돕자며 모금 캠페인을 시작했다. 그의 나이 100세, 피부암과 엉덩이 부상 치료로 거동도 불편한 몸이었다. '뒷마당 100회 걷기' 공약을 내걸고, 25m인 뒷마당을 100회 걷는 조건으로 1000파운드(약 150만 원)를 목표로 모금하겠다고 선언했다.

그가 뒷마당 걷기를 하는 동안 수많은 영국인의 응원이 봇물처럼 쏟아졌다. 100회를 완수한 날에는 육군 장병들과 언론사 취재진이 찾아왔다. 보리스 존슨 총리, 엘리자베스 2세 여왕도 축하를 전했다. 이 일은 코로나19로 지치고 힘들어 있던 영국인들의 마음에 기부의 불을 지폈다. 한 달 만에 목표 금액에 3만 2천 배나 많은 3,200만 파운드(약 480억 원)가 넘는 돈이 모금되었다. 톰 무어 할아버지는 언론 인터뷰에서 "내가 대단한 일을 했다고 하는데, 실제로는 사람들이 내게 해준 것이 대단한 것이다."라고 말했다. 톰 무어 할아버지가 많은 사람에게 기부하는 마음을 만들어 준 것이다.

— 기부는 바이러스보다 더 빨리 확산된다.

이런 면에서 바이러스는 절대 인간을 이길 수 없다. 우리 한국인은 어땠을까? 코로나19로 많은 사람이 실직하고, 고통 받는 모습을 보고 수많은 한국인들이 신종 바이러스를 이겨내기 위한 나눔에 동참했다. 두 달 동안 〈사랑의열매〉는 1,085억 원, 전국재해구호협회는 948억 원, 대한적십자사가 753억 원 등, 총 2,786억 원을 모금했다.

대한민국 재난재해 모금 역사상 가장 큰 모금액이었을 것이다. 코로나19라는 전대미문의 사회적 재난이 사람들의 이타심에 불을 지핀 것이다.

사람은 누구나 마음에
산 하나는 두고 사는 것 같다.
험준한 산을 가진 사람도 있고
야트막한 산을 가진 사람도 있다.
서로 협력하자.
지금은 산과 같은 지형이
가로막고 있는 시대도
아니지 않은가.

한국 특유의
기부 문화

나도 처음에는 한국의 기부문화에 무슨 심각한
문제가 있다고 생각했다. 이 업에 종사하면서도
늘 그렇게 말해왔으니 말이다. 그러나 20년 넘게
일하다 보니 깨닫게 된 것이 있다. 그것은 한국만의
특징이고, 한국형 기부가 따로 있다는 것이다.

얼마 전의 일이다. 코로나19로 말이암아 메이저리그가 중단되었다. 스포츠 생중계에 목말랐던 미국 야구팬들 사이에서 한국 야구의 이른바 '빠던'이 주목을 받았다. '빠던'이란 한국 야구팬들 사이의 속어로, 일명 '빠따 던지기'다. 영어로는 '배트 플립Bat flips'을 말한다. '배트 플립'은 타자가 홈런을 치고 나서 배트를 힘껏 던지는 세레모니다. 야구팬이라면 얼마나 멋있는지 잘 안다. 마치 옷을 던지는 것처럼 풍차처럼 팽 도는 배트의 궤적은 예술적이고 다이내믹하다. 축구에서 골을 넣고 나서 세레모니를 하는 것과 같다. 한국 프로야구에선 익숙한 장면이지만 미국에선 금기다. 상대 투수를 자극하거나 무시하는 행동으로 받아들인다. 괜히 했다가는 다음 타석에서 위협구로 보복을 당한다. 한국 선수들이 미국 메이저리그로 이적할 때 가장 주의받는 것 중의 하나가 '빠던 금지'다.

그런데 코로나19로 한국야구를 접한 미국 팬들이 한국의 '빠던'을 보고 속이 다 시원하다고 했다. 미국의 점잖은 야구가 재미없다는 것이다. 한 야구전문가는 '미국 MLB메이저리그가 오페라나 클래식이라면, 한국 KBO한국프로야구는 거친 록 같다'고 표현했다. 한국 야구의 솔직한 표현, 경기장이 터질 듯 쏟아내는 응원소리, 치어리더의 응원문화는 또 하나의 즐거움을 선사한다. 부산 사직구장에서 모든 관중이 하나 되어 쓰레기봉투 뒤집어쓰고, 부산갈매기 떼창하는 것을 듣는다면 '어메이징'하다면서, 아마 기절초풍하지 않을까.

전 세계를 강타한 코로나19에 맞서 우리나라는 경제활동 봉쇄 없이 잘 대처해 모범을 보였다. 세계 많은 나라로부터 한국이 주목을 받았다. '우리가 선진국이었어?' 하면서 우리도 놀랐다. 한 미국 매체는 '한국은 어떤 부분에서는 미국을 추월했지만 한국인은 자국을 아직도 후진국이라 생각한다'고 보도하기도 했다. 그렇지만 프랑스, 독일 등 유럽 일부 국가의 아무개들은 한국의 코로나19 대응을 보면서 유교 문화로 말미암아 공권력에 잘 순응하는 면을 지적하면서 사생활을 감시당하는 자유가 없는 나라처럼 보도했다. 한국인을 잘 몰라서 하는 소리다. 공권력을 너무 무시해서 탈인데…. 한국 사람은 감시와 통제를 싫어한다. 무력시위진압도 두려워하지 않는다. 코로나19가 엄습하기 전까지 광화문 앞 광장에서 서울 종로며 청계천이며 시청앞이며 연일 시위하느라 조용한 날이 없었다. 누가 대통령이 되든지 광장에서는 항상 대통령 욕이 난무한다. 특이한 나라다.

한국 사람들은 비교하는 것을 좋아한다. 2007년 8월 서울에서 세계 공동모금회 아태총회를 개최하면서 보도자료를 냈다. 아시아 태평양지역 공동모금회 대표들이 모여 나라간 연대를 모색하는 중요한 회의인데, 처음에는 어떤 언론사도 관심을 주지 않았다. 그래서 아태지역 각국 공동모금회 모금액 랭킹으로 보도 자료를 수정해서 배포했더니 보도가 많이 되었다.

지하철역마다 모금함이 있다. 지하철 노선도별 모금액 비교도 언론이 매우 좋아하는 소재다. '부자 동네일수록 인심이 박하다' 고 기사를 뽑기 딱 좋기 때문이다. 진짜 부자들은 지하철을 안 타는데. 지하철에 놓인 모금함이 그 지역의 인심을 대변한다고 할 수 있을까? 한번은 띠별로 기부액을 분석해 봤다. 어느 해 쥐 띠가 유의미하게 많았고, 돼지띠가 가장 적었다. 아마 우연이었 을 것이다. "쥐는 재물을 잘 모아서 기부 잘하고, 돼지는 기부에 인색하다." 만약 돼지띠가 기부를 많이 했다면, "황금돼지해라 는 말도 있다. 돼지처럼 풍요의 마음으로 기부에도 앞장서는 것 같다."고 했을 것이다. 사실이든 아니든 상관없다. 사람들은 그 저 비교가 필요한 것이다.

기부 부문도 늘 선진국과 비교해 부족하다고 얻어맞는 단골 분 야 중 하나다. "한국의 기부문화는 선진국에 비해 이성적 기부라 기보다는 동정적 기부가 앞선다. 일상적인 기부보다는 연말연시 불우이웃에게 일회적인 기부를 한다. 감성적, 시혜적 기부를 해 서는 기부문화 발전이 없다."라거나, "한국의 기부지수는 전 세 계 하위권이다." 혹은 "한국의 기부문화 제도적 지원이 미흡하다."는 등.

나도 처음에는 한국의 기부문화에 무슨 심각한 문제가 있다고 생각했다. 이 업에 종사하면서도 늘 그렇게 말해왔으니 말이다. 그러나 20년 넘게 일하다 보니 깨닫게 된 것이 있다. 그것은 한국만의 특징이고, 한국형 기부가 따로 있다는 것이다.

우선 세계기부지수World Giving Index에 대해 말해 보겠다. 한국은 늘 이 세계기부지수 하위권이다. 한국은 139개국 중 62위다. 그런데 미얀마 1위, 인도네시아 2위, 케냐 3위다. 기부지수가 앞설 것이라고 예상한 나라들과 실상이 매우 다르다는 것을 알 수 있다. 이 지수는 영국의 자선지원재단과 미국의 갤럽의 조사에 의해 '낯선 사람 돕기, 기부자의 기부금 비율, 자원봉사 시간' 등 세 가지 형태의 기부행위를 측정한 지수다.

미얀마의 열성적인 불교 중심 기부, 이슬람과 유대인의 종교적 기부를 과하게 높게 평가하였고, 기부에 대한 총액과 기부관련 각종 정책, 국민 인식도에 대한 차별성 등은 고려되지 않았기 때문에 기부 경쟁력을 정확하게 반영했다고 보기 어렵다. 앞으로 우리나라가 이 세계기부지수 하위권이라는 기사를 보더라도 크게 실망할 필요는 없다.

한국은 한국만의 독특하고 경쟁력 있는 기부문화를 가지고 있다. 공동모금 방식을 채택하는 41개국 중 모금액 기준으로 한국은 세계 2위다. 미국 다음으로 당당히 세계 2위를 차지한 것이다. 인구 13억 4천만 명이자 GDP 2위인 중국, 인구 1억 2천만 명이자 GDP 3위의 일본보다 모금액이 많다. 그런데도 늘 기부선진국에게서 배워야 한다는 비판을 듣는다. 중국, 일본은 최근 한국 공동모금회의 〈아너 소사이어티〉 같은 모금 프로그램을 벤치마킹하려고 한다. 한국산 모금 프로그램은 세계 공동모금회 총회에서도 히트 상품으로 관심을 많이 받는다.

— 한국인은 어려운 사람을 보면 바로 행동으로 옮기는 사람들이다.

기부 다혈질. 도와주지 않으면 직성이 풀리지 않는 한국인의 특성을 나는 이렇게 표현한다. 다시 생각해 보면, 한국인은 용기 있는 사람들이다. 한국 사람들은 난처한 상황에 빠진 사람들을 보고 방관하기보다는, 좀 거칠어도 바로 팔을 걷어붙이는 사람들이다. 더 인간적이다. 일상에서 이성적으로 정기 기부하는 것도 좋은 일이지만, 일회적으로 감정에 울컥해서 기부하고, 참견하고 도와주는 것도 그렇게 나쁜 것은 아니지 않나. 어려운 사람들의 사연을 보고 기부하는 ARS 모금이 잘 발달되어 있는 나라도 한국이다. ARS모금은 다른 나라에서는 잘 안되는 기부 방식이다.

한국인들은 남을 돕기 위해 전화기를 든다.

제2장

어떻게 도울 것인가?

따뜻한 이타주의자와
냉정한 이타주의자

기부는 시스템이다. 서로 역할이 다른 사람들이
연결되어 있는 시스템이다.
돈을 기부하는 기부자가 있고,
여러 기부자와 소통하여 기부금을 모금하고
지원할 재원을 축적하는 모금가가 있다.
모금가는 기부금을 모금하여
사업수행기관에게 전달한다.
사업수행기관은 지원받는자와 소통하면서
복지서비스나 기부금을 지원한다.
지원받는자의 상황과 욕구를 가장 잘 이해하는 것이
바로 사업수행기관이다. 서로 역할이 다르다.

15년 전 일인 것 같다. 한 신문사 사회부 기자들이 연말 회식비를 모아 어려운 조손 가정[4]을 돕는 데 기부하겠다고 했다. 그런데 모금 단체에 기부하지 않고 조손 가정을 방문해서 직접 전달하고 싶다고 했다. 나는 여러 후보 가정을 찾아서 기자에게 전달했다. 기자들은 80대 할머니와 초등학교 6학년 손녀가 사는 서울 망우동의 한 가정을 선택했다.

당시 나는 언론홍보 업무를 맡고 있었기 때문에 기자들의 부탁을 거절할 수 없었다. 성실히 도와주고 동행까지 부탁해서 가정 방문을 함께했다. 그 집은 전통시장을 가로질러 한참 걸어 들어가야 하는, 어둡고 깊은 곳에 있었다. 겨울이라 전통시장의 순대집과 방앗간에서 뿜어내는 여러 겹의 연기 커튼을 걷어내며 걸었다. 그 집은 페인트가 벗겨진 낡은 건물 모퉁이에 있었던 것 같다. 외부 사람들과 이런 어려운 가정의 집을 방문할 때면, "이

---

4 만 18세 이하인 손자나 손녀와 65세 이상인 조부모로 구성된 가정을 뜻한다.

런 곳에도 사람 사는 집이 있구나."라는 말을 듣곤 한다. 쪽문을 열자 어두컴컴하고 찬 기운이 나는 단칸방이 나왔다.

기자들은, "우리가 생각하는 빈곤한 가정 그대로야."라며 어려운 가정을 잘 찾았다는 말을 했다. 그 가정을 방문해서 기자들은 초등학교 6학년생 손녀에게 "할머니를 봐서라도 공부 열심히 해야 한다."라고 했다. 나는 그때 '이 80대 할머니가 언제까지 저 어린 손녀를 돌보게 될까? 저 아이는 이 험난한 세상을 잘 헤쳐 나갈 수 있을까?'라는 생각이 들었다. 비단 나만 그렇게 생각하는 것은 아니었다. 돌아가는 길에 기자들도 그렇게 생각했다고 말했다.

할머니는 연신 고맙다고 했지만, 손녀는 불쑥 찾아와 돈을 건네고 훈계까지 하는 손님들에게 그다지 호의적이지는 않았던 것 같다. 아무 말도 하지 않았다. 나는 할머니와 손녀의 겨울 점퍼를 구해서 드렸는데 손녀 것이 작다고 해서 다시 그 집을 방문해야 했다.

"젊은 선생님, 정말 고맙습니다. 우리 아이가 참 착해요. 찾아오는 손님이 없다 보니 낯설어서 그렇지, 얼마나 착한지 몰라요."

몇 개월 뒤 그 할머니가 다시 내게 전화를 했다. 손녀가 중학교에 올라가는데 교복이나 학용품을 살 돈이 없으니 도와달라는 것이었다. 이 가정을 지원하려면 빈곤가정위기 지원사업을 만들고, 기부자를 연결해야 한다. 시간이 필요했다. 기부는 공정성이 중요하기 때문에 모금가가 임의로 지원받는자를 정해서 바로 그 가정을 바로 지원할 수가 없다. 기부자를 연결해서 지정기탁을 받으면 바로 지원할 수 있지만, 그 지원받는자를 위한 모금을 한다는 것도 시간이 걸린다. 모아진 돈에서 바로 지원하고 싶다. 하지만 늘 어려운 사람들의 숫자는 모금한 돈에 비해 많은 법이다. 이런 점이 늘 안타깝다. 어쩔 수 없이 공정하게 심사해서 지원해야 한다. 시간이 걸린다. 누가 더 어렵고 힘든지를 심사한다는 게 어디 쉬운 일인가. 이런 어려운 사람들이 4백만 명이나 되기 때문에 누구를 먼저 지원하는지 결정하는 절차가 중요할 수밖에 없다. 결국 나는 얼마만큼 내 돈을 할머니에게 보내주었다. 물론 교복을 살만큼 충분한 정도는 아니었다. 할머니와 손녀에게 실망만 주고 말았다.

— 그제야 나는 내가 무슨 잘못을 했는지 깨달았다.

첫째, 기부자들의 좋은 의도만 존중하고 지원받는 사람들을 대상화해 상품을 선택하듯이 나열했다. 그러고는 기부자와 바로 연결해주었다는 점이다. 기부자들은 어려운 가정을 도와줘서 보람됐는지도 모르겠다. 하지만 기부자와 지원받는 사람 간의 위계가 생길 수 있다는 점을 간과했던 것이다. 기부자와 지원받는자를 바로 만나게 할 경우 지원받는 사람의 자존감에 상처가 생기거나 뜻하지 않는 일이 생길 수도 있다. 둘째, 도움 그 이후의 일들을 생각하지 않았다. 불쑥 나타난 선의의 '키다리 아저씨'는 섣부른 기대감만 준다. 지속적으로 지원할 수 있다는 약속이 없음에도 기대감이 생긴다. 지원 중단은 또 다른 상처와 절망을 준다. 가장 큰 문제는 내가 모금 담당자도 아님에도 모금이라는 일련의 시스템에 함부로 개입한 것이었다.

기부자 → 모금가 → 수행기관 (에이전시) → 지원받는자

기부는 시스템이다. 서로 역할이 다른 사람들이 연결되어 있는 시스템이다. 돈을 기부하는 기부자가 있고, 여러 기부자와 소통하여 기부금을 모금하고 지원할 재원을 축적하는 모금가가 있다. 모금가는 기부금을 모금하여 사업수행기관에게 전달한다. 사업수행기관은 지원받는자와 소통하면서 복지서비스나 기부금을 지원한다. 지원받는자의 상황과 욕구를 가장 잘 이해하는 것이 바로 사업수행기관이다. 그룹 홈, 지역아동센터, 학교밖청소년센터, 사회복지기관, 시설, 단체 등이 이런 곳이다. 〈사랑의열매〉는 매년 3만 5천여 개의 사업수행기관을 통해 4백만 명을 지원하고 있다. 모금가는 수많은 기부자로부터 기부금을 모아 여러 갈래로 '지원의 저수지'를 만든다. 아동청소년, 노인, 여성, 장애인, 다문화가정, 지역사회 등의 푯말이 붙은 각 저수지에서 '지원의 관개수로'를 타고 사업수행기관으로 가고, 또 그 나눔이 흘러 최종적으로 지원받는자에게 전달되는 것이다.

— 서로 역할이 다르다.

모금가는 안정적으로 저수지의 물을 계속 채워야 한다. 사업수행기관은 최종 대상자의 욕구와 상황에 관한 여러 정보를 모금가에 지속적으로 전달한다. 모금가와 사업수행기관 간에는 사업결과보고서, 각종 영수증, 증명서류 등이 오가는 '냉정한 이타주의적' 관계가 되기도 한다. 모금가는 때로는 기부자의 이해를 대변하기도 하고, 사업수행기관은 지원받는자의 이해를 대변한다. 때로는 충돌도 한다. 갈등도 있다. 하지만 이런 시스템이 결국 가장 좋은 방법을 찾는다.

기부자와 지원받는자 사이에는 서로 만나지 않더라도 '따뜻한 이타주의'가 흐른다. 그러나 그 사이에 끼여 있는 모금가와 사업수행기관 사이에는 '냉정한 이타주의'가 필요한 것이다. 모금은 과정이 투명하고 공정해야 기부자로부터 신뢰를 얻어 기부를 받을 수 있다. 그래서 냉정함이 필요하다. 사업수행기관이 일을 잘못할 경우에는 사업 평가와 회계 평가를 해서 제재 조치를 하기도 한다.

돈을 모금하는 것은 '모금'이고 나누어주는 것은 '배분'이다. 나누어 주는 방법에는 '배분'과 '분배'가 있다. 이처럼 한자의 앞뒤를 바꾸기만 했지만 다른 의미이다. 경제학적인 용어가 아닌 복지적인 개념에서 '배분Allocation'은 자원 할당을 기획하는 것으로, 필요 수요에 따라 얼마를 지원할지를 할당해서 필요한 사람에게 지원하는 것이다. '분배Distribution'는 필요한 사람의 수요나 욕구에 상관없이 골고루 나누어주는 것이다. 쉽게 말해서, 빵 100개를

100명에게 나누어 준다고 할 때. 배분은 임산부, 노인, 아동 등 대상 별로 필요 수요에 따라 어떤 사람은 3개, 2개, 필요하시 않는 사람은 0개를 나누어주는 방식이다. 반면 분배는 대상자에게 모두 1개씩 골고루 나누어주는 방식이다. 모금과 배분은 하나의 연결된 시스템이기 때문에 늘 지원받는자의 욕구를 파악해서 배분하는 것이 중요한 일이고, 배분이 잘되어야 모금이 잘된다. 그래서 〈사랑의열매〉도 모금을 담당하는 직원 수보다 배분을 담당하는 직원 수가 더 많다.

물론 기부자가 어려운 사람들인 지원받는자에게 직접 돈을 줄 수도 있다. 나 또한 노숙인에게 직접 돈을 준 적이 있다. 우리나라 기부자들의 15%가 이렇게 직접 지원받는자에게 기부를 하고 85%는 모금단체를 통해서 기부를 한다. 직접 기부하는 이유는 모금단체를 신뢰할 수 없고, 모금단체들이 기부금의 일정액을 관리운영비로 떼어 가기 때문이라고 한다.

어렵고 힘든 사람을 보고 도와주고 싶은 것은 인간 본연의 측은지심이다. 또한 기부자가 지원받는자에게 동정감이나 우월감을 갖는 것도 당연한 일이다. 경제적 불평등의 차이도 어쩔 수 없는 일이다. 기부자에게 그런 마음을 갖지 말라고 탓할 수는 없다. 그러므로 모금가의 역할이 중요하다. 권력관계가 생기지 않도록 균형추를 맞추는 것이 모금가의 일이다. 여기서 중요한 것은 기부의 선한 결과를 위해서, 모금가는 기부자에게 좋은 시선을 갖도록 안내해야 한다는 것이다. 내가 '수혜자'나 '불우이웃'

이라고 하지 않고, '지원받는자'라는 표현을 사용하는 데는 이유가 있다. '수혜자受惠者'는 은혜를 받은 사람이라는 뜻으로 '적선積善'의 의미가 있다. 또한 '불우不遇한' 이웃은 딱한 처지로 좋은 운명을 만나지 못했다는 '낙인'의 의미가 있다. 가난은 결코 죄가 아니다. 운명도 아니다. 일시적으로 어려운 것일 뿐이다. 누군가 도와주면 희망을 가지고 다시 일어설 수 있는 사람들이다. '지원받는자'란 지원받는 사람이라는 그 이상도 그 이하도 아닌 중립적이고 무미건조한 말이지만 지금까지는 적절한 단어라고 생각한다. 사회복지 분야에서는 '지원받는자'를 '클라이언트Client'라고 부른다. 사회복지사라는 전문가에게 사회복지 서비스를 요청한 사람이라는 존중의 의미가 담겨 있다.

나는 좋은 모금가가 되기 위해서 '동공을 크게 하자'라는 말을 사용한다. 사람들은 위험에 노출되거나 어두운 곳에 있을 때, 또는 관심 있는 것을 볼 때 동공瞳孔이 커진다고 한다. 그래서 연인끼리 위험한 산행을 하거나 공포 영화를 볼 때 더욱 친밀해지고, 어두운 곳 특유의 '조명빨'에 속기도 한다. 모금가는 '동정의 시선'을 '공감의 시선'으로 돌리는 사람이어야 한다. 동정同情의 '동同'과 공감共感의 '공共' 자를 합하여 '동공同共'이 된다. 동정에서 시작했다 하더라도 공감으로 사람들을 바라봐야 한다. 눈동자 동공瞳孔이 커지듯, 동공同共을 크게 하면 안 보이던 것들이 보인다.

추운 겨울 리어카에 짐을 싣고 힘들게 끌고 가는 지체장애 노인과 지나친 적이 있었다. 폐지를 줍는데 날도 추워서 힘들겠구나

하고 생각했다. 골목길에 트럭이 지나가자 힘들게 리어카를 벽에 세우느라 길고 힘든 한숨을 '허어' 하고 내쉬었다. 그 한숨이 내 발길을 돌려세웠다. 도저히 지나칠 수가 없었다. "할아버지, 필요한 데 쓰세요"하고 돈을 내밀었는데 '이걸 왜 나한테 주지?'라는, 어색한 시선과 마주했다. 자세히 보니 그 할아버지는 폐지를 줍는 게 아니라 목욕 타월과 이쑤시개 등 생활용품을 싣고 장사를 하는 분이었다. 나의 어설픈 동정에 서로 멋쩍고 민망한 미소만 오갔다. 말은 평소 동공을 크게 하자고 해놓고, 나 역시 동정의 시선으로 바라본 것은 아니었는지 자책감이 들었다. 말과 행동은 이렇듯 늘 따로 논다.

모금가는 기부자와 지원받는자를 동시에 만나는 직업이기 때문에 겪는 혼란과 에피소드가 많다. 청와대에서 대통령도 만나고, 유명 정치인, 대기업 회장, 인기 연예인과 부자들도 많이 만난다. 하루는 오전에 수십 명이 동시에 들어갈 수 있는 넓은 집무실에서 기부자와 차를 마시고, 오후에는 한 사람도 눕기 힘든 쪽방촌에 가서 물품을 전달하기도 한다. 두 계층의 사람을 동시에 만나는 직업은 매우 드물다. 삶의 소중한 의미를 배운다. 기부자로부터 배우는 것이 있고, 지원받는자로부터 배우는 것이 있다.

그래서인지 언젠가 예종석 〈사랑의열매〉 회장은 모금에 대해 이렇게 말한 적이 있다. 모금가는 '행복을 배달하는 사람들', 모금은 '행복택배업'이라고.

국민소득이 올라가고 도시가
개발되면 빈곤이 없어진 듯
착각을 하게 만든다. 이러한
착각은 빈곤의 고립을 낳는다.

어디론가 다시 떠밀려나간
것이지 사라진 것이 아니다.

너는 가난한
사람이야

나는 타인의 가난을 규정짓기가 조심스럽다.
차라리 '어려운 사람들'이라는 표현이 나을 때가 있다.
지금은 어렵지만 언젠가는 나아질 것이라는
희망이 있기를 바라는 마음이다.

나의 가난은 어떤 모양이었을까? 내 유년기는 그렇게 가난하지
는 않았다. 부모님이 할머니 집에서 분가해서 우리 삼남매를 데
리고 세검정 셋방으로 이사했을 때다. 이사 온 첫날, 반찬이 없
다며 흰밥에 고추장을 넣어 큰 양푼에 비벼서 온 가족이 숟가락
을 들고 먹었다. 그해 여름 강원도 삼척 근덕해수욕장으로 여행
가서는 수박 꼭지를 따고 숟가락으로 긁어 온 가족이 퍼먹었다.
'온가족이 숟가락으로 퍼먹기'는 내 기억 속에 오랫동안 남아 있
다. 아버지는 당시 벌이가 시원찮았고, 단칸방에 사는 다섯 가족
살림이 넉넉할 리 없었다. 내게는 유년의 추억이 그렇게 가난했
다는 생각은 들지 않고 단란했다는 생각만 든다.

진짜 가난은 타인에 의해 규정당했을 때 생긴다. 나는 가난하다
고 생각하지 않았는데, 누군가 이렇게 말한다.

— 너는 가난한 사람이야.

그렇게 규정을 받고 보니 가난이 부끄러워진다. 왠지 이 가난으로부터 탈출하지 못할 것 같은 절망 앞에 서있을 때 진짜 가난해지는 것 같다.

— 나는 가난하구나…

가난에 대한 생각은 그때부터 자라난다. 남과 비교하면서 비로소 내 가난을 직면한다. 1980년대 초 정릉에서 부모님이 장사를 하시느라 떨어져 살 때가 있었다. 부모님은 가게 곁방에서 주무시고, 우리 삼남매는 윗동네라 부르던 단칸방에서 살았다. 밥을 먹으려면 윗동네에서 정릉 시장에 있는 가게까지 한참을 걸어서 내려가야 했다. 한번은 윗동네 단칸방에 연탄 배달이 안 되서 누나와 내가 신문지에 연탄 한 장씩 싸가지고 간 일이 있었다. 어린 나이에 연탄 하나가 무거워서 계단에서 여러 번 쉬면서 올라갔다. 그러다가 하늘을 올려다 보았다. 어둠을 뚫고 나온 보안등 (지금의 가로등) 불빛에 함박눈이 폭포수처럼 쏟아졌다. 그 모습이 아름다웠다. 나는 이것을 일기에 썼다. 그러고는 학교에 제출했다. 숙제 검사를 맡은 후 돌아온 일기장 하단에는 사인펜으로 이런 글귀가 적혀 있었다.

— 가난은 죄가 아니에요. 달가스처럼 어려움을 이겨내고 큰일 하는 사람이 되세요.

그 당시 담임 선생님은 용기를 북돋아주려고 쓴 글이었겠지만,

나는 당황스러웠다. 가난이 죄가 아니라는 말에 오히려 죄인이 된 느낌이었다. 왜냐하면 나는 당시 가난하다고 생각한 적이 없었기 때문이다. 임시로 따로 떨어져 살았지만, 부모님 장사가 잘 되어서 슈퍼마켓으로 넓혔고, 곧 좋은 집으로 이사하려던 참이었다.

아, '달가스'가 누구인지 설명이 필요할 것 같다. 내가 담임 선생님의 글을 40년이 다 된 지금까지 기억하는 것은 저 달가스라는 덴마크 사람 때문이다. 엔리코 달가스Enrico Dalgas는 당시 교과서에 나오는 인물로, 1864년 덴마크가 프로이센과의 전쟁에 지고 국민들이 실의에 빠져 있을 때, '밖에서 잃은 것을 안에서 찾자'며 국민들에게 용기를 불어넣으면서 황무지 개간에 앞장선 부흥 운동가다. 한국인 중에 달가스를 알고 있는 사람이 얼마나 될까 싶지만⋯. 그래서 나는 덴마크 하면 달가스, 달가스 하면 내 가난이 연상된다. 선생님의 코멘트를 보고 나서부터 '나는 가난하구나'라는 생각이 들었다. 그러고 보니 단칸방에 걸려있던 60촉 전구도 그렇고, 책상 없이 엎드려서 공부하는 것도 다 가난하다는 증거였다. 가난함에도 가난한지도 모르게 산 것은 부모님 덕분이다. 내가 책 읽고 싶다고 하면 책을, 가방이 필요하면 가방을 바로 사주셨기 때문에 '나의 가난'을 인식하지 못했던 것 같다. 희망이 있어서 가난을 몰랐던 것 같다.

그래서 나는 타인의 가난을 규정짓기가 조심스럽다. 차라리 '어려운 사람들'이라는 표현이 나을 때가 있다. 지금은 어렵지만 언젠가는 나아질 것이라는 희망이 있기를 바라는 마음이다. 그리고 가난이란 말은 타인에 비해 상대적인 느낌이 드는데, 빈곤은 경제적 결핍은 물론 희망도 없어 보이는 더 건조한 말 같다.

나눔의 현장에서 만났던 어려운 가정들은 내가 무슨 일을 해야 할지를 알려주는 것 같다. 진짜 빈곤을 직면해보면, '단란한 가난'이라는 표현조차 할 수 없게 된다. 방한용품을 들고 수원에 사는 한 조손가정을 방문한 적이 있었다. 추운 날이었는데 온기도 들지 않는 차가운 옥탑방이었다. 할머니는 우리 일행이 가져온 선물에 정말 고마워하셨다. 여름 이불 두 장을 덧대어 꿰맨 이불은 손자가 덮고, 할머니 본인은 여름 홑이불을 덮고 계셨다. 살아생전 이런 좋은 이불을 덮고 잘 수 있게 되었다는 말에 가슴이 먹먹했다.

돈이 없어 보일러를 틀지 못하는 또 다른 집의 할머니는 따뜻한 물로 손녀 목욕 시켜주는 것이 소원이라고 말했다. 이제 막 사춘기에 들어선 손녀는 좁고 추운 단칸방에 들어오기 싫어서인지 밤늦게야 들어온다고 했다. 텅텅 빈 할머니의 작은 냉장고에 김치 한통을 넣어드리며, 내가 하는 일의 소중함을 새삼 깨닫는다.

빈곤은 대물림의 고리를 끊는 것이 가장 중요하다. 이런 가정을 방문할 때 아이들을 본 적이 거의 없다. 대개 할머니들이 맞아 준다. 아이들 입장에서는 우리를 보는 것조차 자신이 빈곤하다는 것을 규정받는 것 같아 싫었을 것이다. 1억 원 이상을 기부하는 〈아너 소사이어티〉 회원 중에는 유독 가난하고 어려웠던 시절을 극복하고 성공한 후 큰 기부를 결심한 사람들이 많다. 그들의 공통점은 너무나 어려웠던 시절, 누군가 베풀어주었던 따뜻한 밥 한 그릇, 쌀 한줌을 받고 희망을 가졌다고 한다. 기부와 복지정책이 한 사람의 빈곤을 모두 구제할 수는 없지만, 적어도 누군가의 도움을 받았고, 이 도움을 잊지 않고 희망으로 이어갈 수 있도록 할 수는 있을 것이다.

사랑은
타이밍이다

나는 가난은 나라님도 못 구한다는 말이 참 싫다.

무책임하다. 나라님이 왕일 때는 못 구했을지도 모른다.

현재의 가난은 이 시대의 나라님이 구해야 한다.

그 나라님은 국민이다.

― 마지막 집세와 공과금입니다. 정말 죄송합니다.

2014년 2월의 일이었다. 유서를 남기고 송파 세 모녀가 자살을 했다. 번개탄 1,200원, 숯 1,500원, 유서 편지 봉투 20원 등 자살하기 위해 구입한 물건들도 가계부에 적어놓았다. 가난했지만 어떻게든 살아보려고 했던 일가족이 목숨을 끊는 데 필요한 금액은 2,720원이었다. 복지 종사자는 물론 국민 모두 큰 충격을 받았다. 송파 세 모녀 사건 이후에도 사회적 고립가구의 비극적인 사건이 계속해서 발생했다.

소득이 낮을수록 가족관계와 사회관계가 얇아지고 끊어지기 쉽다니, 마음 아픈 현실이다. 추위처럼 빈곤도 약한 고리부터 노린다. 구멍 뚫린 사회적 안정망과 관계망이 자살률을 높이고 있다. 유엔 '세계행복보고서'는 도움을 줄 수 있는 사람이 얼마나 많은가 등 사회적 관계지원망이 사람들의 행복을 결정하는 데 중요하며, 행복은 개인이 가지고 있는 재산이 아니라 사회적 관계라는 점을 지적했다.

나는 가난은 나라님도 못 구한다는 말이 참 싫다. 무책임하다. 나라님이 왕일 때는 못 구했을지도 모른다. 현재의 가난은 이 시대의 나라님이 구해야 한다. 그 나라님은 국민이다. 고립된 사람들에게 배를 보낼 수 있는 사람들이 있어야 한다. 나도, 당신도, 누구나 고립될 수 있기 때문에, 사랑의 손길을 보내는 일은 결국 나를, 당신을 위한 일이다. 이 고립된 사람들에게 관심과 사랑을 보내는 일에 나중은 없다. 필요할 때는 바로 지금이다.

정호남〈아너 소사이어티〉회원이 말했다.

— 여유가 있을 때 기부해야겠다고 미루다 보면, 평생 그 꿈을 이루지 못할 거예요. 나눔은 실천하는 것이고 용기도 필요한 것 같습니다.

기부는 선물을 주는 일과 같다. 그 선물을 주는 때는 늘 지금 현재일 때가 가장 좋을 때다. 선물이 영어로 프레전트Present인데, '현재'라는 뜻도 있다. 이는 선물이 가장 알맞은 때에 전달되어야 한다는 의미일 것이다. 나중이라는 말은 사랑에는 의미가 없다. 지금 현재가 바로 사랑이 필요할 때이다. 사랑은 타이밍이다. 사랑한다고 해야 할 때 못하면 그 사랑은 떠나가고, 있어야 할 때 없어도 그 사랑은 떠나간다.

35년 동안 9조 원을
익명으로 기부한
행복한 거지 찰스 F 피니는
이렇게 말했다.

"돈이 많아도 두 켤레의 신발을
동시에 신을 수는 없으니까요."

어디론가 다시
떠밀려나간 사람들

국민소득이 올라가고 도시가 개발되면
빈곤이 없어진 듯 착각을 하게 만든다.
이러한 착각은 빈곤의 고립을 낳는다.
아직도 국민의 10명 중 1명은
'어려워도 도움을 청할 사람이 없다'고 한다.
이런 가정을 '고립가구'라고 한다.
소득이 낮은 빈곤 계층일수록 도움을 청할 일이
많은데, 오히려 도움을 청할 곳이 없다.

한국의 겨울은 모스크바보다 춥다. 여름에는 필리핀 세부보다
덥다. 이건 지어낸 말이 아니다. 실제 기온과 체감기온이 그렇
다. 춘 4월에도 눈 내리기도 하고 춥다. 오죽하면 '4월의 겨울'이
라는 말이 있을까. 겨울의 매서운 추위는 늘 약한 고리를 노린
다. 실제로 많은 노숙인이 겨울철에 한파 피해를 당한다.

그날은 오후에도 영하로 떨어져 추운 어느 날이었다. 영등포역
앞 계단 밑에서 한 할머니가 내게 몇 시냐고 물었다. 오후 5시라
고 했더니 '아직 멀었네'하며 실망하는 기색이 역력했다. 가만히
보니 노숙을 하는지 이불 보따리와 옷가지를 묶어 놓은 짐이 할
머니 키 높이만큼이나 쌓여 있었다. 할머니에게 무엇을 기다리
시냐고 물었더니, 추운데 오후 7시 전에는 역사 안으로 들어가지
못하게 한다며 길거리에 서 있었다. 이런 일에 익숙한지 체념한
것처럼 보였지만, 그러기에는 너무 추웠다. 무언가 도와드리고
싶어서, 따뜻한 것이라도 사드시라면서 만 원을 드리고 길을 건
넜다. 길 건너 인파 속에 사라지는 할머니의 뒷모습을 바라보았다.

영등포 주민들 중에 영등포역 근처 있는 쪽방촌을 철거하자는 사람이 많다. 그래서 이 지역 구청장 후보나 국회의원 후보들은 출마할 때마다 표를 얻기 위해 매번 그런 공약을 한다. 비단 영등포 주민들만 그런 것은 아니다. 도시의 허름한 지역만 보면 개발 충동을 느끼는 것 같다. 쪽방에서 잘 수 있는 사람은 그나마 형편이 나은 사람이다. 쪽방 월세조차 없는 더 어려운 사람들은 역 주변에서 노숙을 한다.

김시덕의 〈갈등도시〉에 의하면, 영등포는 일제 강점기 후반기인 1936년 경성에 편입되면서, 서울이 한강 이남지역으로 확대 개발하는 첫 출발점이 되었다. 1960년대만 해도 한강 이남의 유일한 서울의 행정구역이 영등포구다. 인천과 서울을 잇는 경인공업지대의 고리 역할로 발전했다. 지금의 강남이 개발되기 전까지 영등포를 강남이라 불렀다.

지금도 영등포 일대에는 강남부동산, 강남모텔 등 강남이라는 이름을 가진 점포들이 도시 개발 역사의 흔적으로 남아있다. 영등포구와 가까운 동작구에도 강남초등학교, 강남중학교가 있다. 지금 강남에 남아 있는 영동대교, 영동호텔 등 영동이라는 말도 '영등포의 동쪽'이라는 뜻이다. 1970년 배추밭과 갈대밭이었던 지금의 강남을 본격적으로 개발할 때 프로젝트 명이 '영동개발'이었다. 그만큼 영등포는 서울 개발의 역사에서 새로운 인구 유입으로 밀집하게 된 첫 번째 지역이었다.

그 당시 농촌에서 먹고 살기 어려운 많은 사람이 서울로 서울로 일자리를 찾아 몰려왔고, 공장 주변 붉은 벽돌로 지은 불량주거 주택이 들어섰다. 영등포 쪽방촌도 도시 개발과 같이 자연스럽게 형성되었으니, 사실 그들이 영등포의 원래 주민이고, 지금 고층 아파트 주민들이 새로 전입한 이주민들이다. 그런데 이주민들이 원래 주민 보고 나가라고 한다. 대서울의 개발로 많은 빈민이 서울의 동서남북 외곽으로 밀려나고 또 밀려났다. 육지에 물이 밀려와 산봉우리를 섬으로 만들 듯, 개발의 거센 물길이 빈민지역을 외딴 섬처럼, 열도처럼 곳곳에 흔적으로 남겨버렸다. 사람들은 빈곤이 개발로 사라지는 것이라 착각한다.

— 어디론가 다시 떠밀려나간 것이지 사라진 것이 아니다.

국민소득이 올라가고 도시가 개발되면 빈곤이 없어진 듯 착각을 하게 만든다. 이러한 착각은 빈곤의 고립을 낳는다. 아직도 국민의 10명 중 1명은 '어려워도 도움을 청할 사람이 없다'고 한다. 이런 가정을 '고립가구'라고 한다. 소득이 낮은 빈곤 계층일수록 도움을 청할 일이 많은데, 오히려 도움을 청할 곳이 없다.

보호종료아동

나라도 듣기 싫을 것 같았다.

만 18세는 어른이라기보다는

아직 보호가 필요한 아동이다.

그러나 성년이 되었으니

이제 보호가 종료되었다며 소중한 삶터를 떠나야 한다.

마음껏 꿈을 펼치라는 말이 들릴까?

— 더 이상 열심히 살지 않기로 했다.

— 힘 빼고 살기로 했다.

— 내 마음 가는 대로 살기로 했다.

— 치열함은 남한테나 줘버려.

— 그냥 그대로 살아도 큰일 안 난다.

요즘 서점가 에세이 제목들이 이런 식이다. 얼마나 힘들면 저렇게 생각할까? 그래, 그렇게 치열하지 않아도 되지. 나만의 인생을 찾는 것이 더 중요하지. 자신을 잃으면서까지 열심히 살아봐야 소용없기는 하다. 한편으로는 그렇게 생각할 수도 있겠다 싶다.

아동청소년에게는 세상을 향해 두려움 없이 도전하라고 말하지만, 현실은 냉혹하기만 하다. 가뜩이나 경기불황으로 어려운데 코로나19까지 덮쳐서 앞날이 더 불투명하게 되었다. 계층 간 사교육비 격차는 더 벌어지고, 출발선의 차이도 더 커졌다. 이러다 보니 '달관세대'라는 말도 생겼다. 미래 세대들이 꿈을 접고, 상승 욕구를 포기한 채 나만의 시간을 가지고 만족해하며, 세상을 달관한 것 같다고 해서 붙여진 말이다. 일본의 '사토리 세대'와 비슷한 맥락의 말이다. '사토리 세대'란 돈과 출세에 욕심이 없는 일본 청년들을 뜻하는 신조어다. '사토리'는 일본말로 '득도_{得道}'라는 뜻인데, 마치 세상 다 깨달은 것처럼 욕망을 없애고 무기력하게 지내는 청년을 말한다.

어느 날 아동복지시설에 행사가 있어서 기부자와 함께 간 일이 있었다. 시설에 있는 아이들은 만 18세가 되면 아동복지법에 따라 〈보호종료아동〉이 된다. 자립정착금 5백만 원만 들고 이 험한 세상을 혼자 맞서야 한다. 시설에서 나가야 하며 더이상 남의 도움 없이 사회에서 생존해야 한다. 그래서 아이들의 맑은 웃음 속에 불안이 들어있다. 어떤 시간에 다다르면 책임져줄 사람 하나 없이 홀로서기를 해야 한다니…. 행사시간 내내 내 앞에 앉아있던 남학생이 고개를 수그리고 양손 검지로 두 귀를 쑤시고 있었다. 처음에는 어디 아픈 줄 알았다.

"학생. 어디 아파?"
"아뇨. 듣기 싫어서요…"

말문이 막혔다. 후원자와 지역 정치인 등 손님들이 우르르 와서는 시설 아동청소년들에게 '꿈을 펼쳐라'라고 하면서 인사말을 하고 있었다. 그것도 비슷한 말을 여러 명이 돌아가면서 했다. 나라도 듣기 싫을 것 같았다. 만 18세는 어른이라기보다는 아직

보호가 필요한 아동이다. 그러나 성년이 되었으니 이제 보호가
종료되었다며 소중한 삶터를 떠나야 한다. 마음껏 꿈을 펼치라
는 말이 들릴까?

개용 프로젝트

'스톡데일 패러독스'는 지나친 낙관이나
회피보다는, 현실을 정면으로 직면해야 한다는 것을
말해준다. 그러면서도 동시에 희망을 잃지 않아야
한다는 것. 그래서 패러독스다. 지금보다
더 잘 살기 위해서 아니 최소한 살아남으려면
힘 빼고 살면 절대 안 된다.

요즘 아동청소년과 청년들에게 꿈이 뭐냐고 물어 보면, 전혀 생각해보지도 못한 질문을 받았다는 반응을 보인다. 기성세대에게는 꿈이 없는 청년들이 나태하게 보일 수도 있다. 그러나 청년들은 현실의 높은 벽 때문에 달관이라도 하지 않고는 자신이 더 큰 상처를 받는다는 것을 잘 안다. 자신을 지키기 위해 선택한 방법일 수도 있다. 학교 부적응으로 제도권 교육에서 벗어난 학교 밖 청소년들, 〈보호종료아동〉이나 가정 형편이 어려워 대학 입학은 꿈도 못 꾸는 아이들, 직업교육을 받아도 일자리 찾기 어려워 낙담하는 청년들, 대학 졸업하고, 아무리 스펙을 쌓아도 취업하지 못하는 청년들. 그들에게 취업, 결혼, 출산 등 기성세대의 평범한 일상이 너무 멀게 보인다.

차라리 꿈보다는 현실을 말해주는 것이 더 나을지도 모르겠다. 냉정하고 인정 없다고 생각하겠지만, 직면하지 않으면 더 큰 실패를 겪어야 한다. 요행이나 돌아가는 길도 없다.

— 이렇게 일이 쉽게 풀리다니.

— 나한테 일방적으로 이익을 주는 거래네.

— 계속 쉽게 얻을 수 있을 것만 같다.

이런 종류로, 요즘 아동청소년들 용어로 '개이득'이라는 생각이 들면, 실은 사기를 당하고 있거나, 무언가 잘못되어가고 있다고 생각하면 된다. 인터넷에서 보는 것보다 현실은 더 험난하다. 그렇지만 꼭 못 살만큼 절망적인 것은 아니다. 회피보다는 받아들이는 것이 좀더 나은 선택이라고 생각한다. 치열함 없이, 힘 빼고, 내 마음대로 살다가는 더 깊은 함정에 빠진다. 그 함정은 종착역이 아니다. 정신 차리지 않으면 그 밑에 또 다른 함정을 만난다. 그러다가 마지막 끈을 놓게 된다. 그때 가서는 수습할 수가 없다. 냉정한 현실에 단단히 발을 딛고도, 희망을 잃지 않아야 한다.

스톡데일 패러독스Stockdale Paradox라는 유명한 말이 있다. 제임스 스톡데일 중령은 베트남전쟁 때 7년 반 동안 포로로 갇혀 지냈다. 특히 4년 동안 한 사람이 겨우 누울 만한 작은 독방에서 보냈다. 그는 수십 차례의 온갖 고문을 당하면서도 희망을 잃지 않았다.

— 저는 언젠가 그곳을 나갈 수 있을 거라는 믿음을 버리지 않았을 뿐만 아니라 더 나아가 당시의 상황이 무엇과도 바꿔지지 않을 제 삶의 소중한 경험이 될 것임을 의심한 적도 없습니다.

그런 상황을 이겨내지 못 했던 사람들에 대해 묻자 스톡데일은 다음과 같이 답했다.

— 불필요하게 상황을 낙관한 사람들이었습니다. 그런 사람들은 크리스마스 전에는 나갈 수 있을 거라고 믿다가 크리스마스가 지나면 부활절이 되기 전에는 석방될 거라고 믿음을 이어 나가고 부활절이 지나면 추수감사절 이전엔 나가게 될 거라고 또 믿지만 그렇게 다시 크리스마스를 맞고 반복되는 상실감에 결국 죽게 됩니다. 이건 아주 중요한 교훈인데요. 당신이 절대 잃을 수 없는 믿음, 즉 마침내 이기겠다는 믿음과 지금 현실의 가장 가혹한 사실들을 직시하는 훈련을 절대로 혼동하면 안 됩니다.

'스톡데일 패러독스'는 지나친 낙관이나 회피보다는, 현실을 정면으로 직면해야 한다는 것을 말해준다. 그러면서도 동시에 희망을 잃지 않아야 한다는 것. 그래서 패러독스다. 지금보다 더 잘 살기 위해서 아니 최소한 살아남으려면 힘 빼고 살면 절대 안 된다. 이 길로 가도 힘들고 저 길로 가도 힘들다. 심지어 힘 빼고 가면 더 힘들어진다. 어차피 힘들 것이라면, 차라리 받아들여서 방법을 찾는 것이 낫다. 바로 앞에서 산을 올려다보면 절대 넘을 수 없을 것 같지만, 나이 들어서 더 높은 곳에서 내려다보면 그 젊은 날 못 넘을 것 같았던 고비라는 것이 저 발밑에 있는 수많은 산봉우리 중의 하나라는 것을 깨닫게 된다.

한 기부자가 큰 기부를 결정하면서 이렇게 물었다.

— 이제는 개천에서 용이 날 수 없는 건가요?

기부자 본인처럼 어렵고 힘든 조건에서도 희망을 갖고 살면 성공할 수 있다는 것을 알게 하고 싶다고 했다. 기부자에게 긍정적으로 답했다.

— 개용(개천에서 용 나기) 프로젝트 해보겠습니다. 결과를 그 누가 알수 있겠어요? 장담할 수는 없지만 불가능하다고 미리 단정지을 필요도 없겠죠.

그러고는 어려운 가정의 초등학교 6학년 아이들 50명을 선정했다. 성년이 될 때까지 7년간 이 아이들을 후원하기로 결정했다. 희망의 사다리를 놓기로 한 것이다. 기부자와 아이들의 첫 만남 행사에서 아이들에게 마이크를 돌리며 일일이 소감을 물었다.

— 저에게 이런 기회를 주셔서 감사합니다. 저는 운이 좋은 것 같아요. 기대에 어긋나지 않도록 열심히 해보겠습니다.

— 친구들아, 앞으로 자주 볼 사이인데 잘 지내자.

행사장 안에서 아이들은 천진난만하게 웃었지만, 기부자와 나는 이미 가슴이 벅차고 눈시울이 뜨거워져 있었다. 이 어린아이들의 입에서 그런 소리가 나올 줄은 생각지도 못했다. 대견하기도 했지만, 한편 이 어린아이들이 왜 벌써 철이 들어버렸는지 알 수 있었기 때문이었다. 아이들을 선정할 때 한 명 한 명의 사연을 다 보았다. 어려운 가운데서도 정말 어려운 가정의 아이들이었다. 지금 희망 사다리를 놓지 않으면 영영 기회를 잃을 수도 있다. 지금도 이 〈개용 프로젝트〉는 진행 중이다. 50명 모두 다 잘 되어서, 희망의 씨앗이 되기를 바란다.

제3장

유용하고
사랑스러운 기부

레스토랑 기부론

현실은 생각만큼 이상적이지 않다.
순수한 진실보다 불순한 진실이 더 많다.

남을 도와준다고? 멋지기는 하다. 하지만 요즘 표현으로 '노잼'
이다. 기부가 노잼인 까닭은? 너무 순수해야 한다고 생각하니까.
그래서 순수하지 않은 나와는 상관없으니까. 대가를 바라지 않
고 오직 이타적인 마음으로 기부해야 한다는, 그런 순수한 마음
은 불편하고 또 무겁기만 하다.

— 그런데 순수한 기부만이 정답일까?

러스 앨런 프린스Russ Alan Prince와 캐런 마루 파일Karen Maru File이
〈기부자의 7가지 얼굴〉이라는 책을 함께 쓴 적이 있다. 이 책은
기부자를 7가지로 유형화했다.

첫째, '공동체주의자' 유형. 공동체주의자는 지역 비영리단체의
이사회나 위원회에서 활동하여, 인맥을 넓히고, 이를 통해 그들
의 비즈니스에 많은 도움을 얻을 수 있다고 생각한다. 이 유형의
사람은 자신의 기부를 통해 공동체 발전에 기여할 수 있다고 믿

는다. 그러니까 기부로 사회에서 잘나가겠다는 마음 아니겠나? 순수성 관점에서보면 이런 기부자는 완전 불합격이다.

둘째, '투자자' 유형. 세금과 재산에서 이익을 기대하는 부유한 개인 기부자들의 유형이다. 이런 유형의 기부자들은 '기부를 하면 세금 혜택이 있다잖니'라고 생각하면서 절세 방법으로 기부를 선택하며, 가급적 자기를 배려해주는 대형 기부 단체를 선호한다. 순수성 기준에 따르면 불합격을 넘어 파렴치한에 가깝다.

셋째, '사교가' 유형. 기부자들의 사교 모임이 더 좋은 세상을 만든다고 생각해 즐기면서 비영리단체에 기부함으로써 사회적 역할을 다하는 사람들이다. 기부의 순수성을 생각해 보라. 역시 불합격이다. 사교하려면 다른 데서 하지 왜 기부하면서 돈과 권력 있는 사람에게 기웃거리는가?

넷째, '보은자' 유형. 비영리단체로부터 도움을 받았다가 나중에 기부자가 된 사람들로, 주로 학교나 의료기관 등의 도움을 받았다가 의무감으로 다시 그 단체에 기부하는 사람들이다. 이런 기부자들도 역시 불합격. 도움을 받았다는 것이 없었다면 기부하지 않을 사람들이니 순수하지 못하다.

다섯째, '신앙인' 유형. 기부는 곧 '신의 뜻'이라고 믿는 사람들이다. 기부 대상은 당연히 종교단체이다. 신의 은혜를 기대하고 기부하는 사람들도 역시 불합격이다. 전 세계에서 가장 많은 유형

들인데, 개인적인 복을 받고자 기부하는 사람들이니 정말 이렇게 불순할 수가 없다.

여섯째, '노블리스' 유형. 유산을 상속받아 대대로 가문의 전통에 따라 기부하는 기부 명문가들이다. 다들 '금수저'들이고 체면을 위해서 하는 것이니 역시 불합격.

마지막 일곱 번째가 '이타주의자' 유형의 기부이다. 너그럽고 공감 어린 마음으로 도움이 절실한 단체에 기부하고, 겸손한 자세로 '심지어' 자기 이름을 밝히기조차 꺼려하는 사람들이다. 기부는 자신의 도덕적인 과제이며, 인간적인 영적인 성숙을 위한 선택이라고 생각한다. 찾았다. 바로 이런 사람들이다. 드디어 기부 순수성에 적합한 사람들을 찾아냈다.

그렇지만 이런 이타주의자 기부자들이 전체 기부에서 차지하는 비율이 어느 정도일까? 책은 이렇게 말한다.

— 9%

내 체감으로는 1%도 안 된다. 기부 현장에서 20년 넘게 일해 보니 기부의 상당수는 순수하지 않았다. 기부의 순수성만을 생각해서 모금하면 전체 기부금이 십 분의 일 이하로 줄어든다는 사실을 의미한다. 기부금은 어디로 가는가. 어려운 사람들에게 간다. 그런 재원이 91%까지 줄어든다면 어떻겠는가?

연말 정산을 한번 생각해 보자. 한해 경제생활의 압축된 개인의 대차대조표다. 보험료, 의료비, 교육비, 연금, 신용카드 사용액, 현금 사용액, 주택차입금 등이 나온다. 또 없을까? 기부금이 있다. 기부하면 연말 정산에서 쏠쏠한 혜택을 본다. 그래서 평소에는 신경을 안 쓰다가 꼭 후회하는 것이 기부다. 내년에는 꼭 기부해서 좋은 일도 해야겠다고 생각한다. 오늘날 연말 정산에서 누가 순수성을 따지겠는가. 연말 정산 항목에 천사의 영역은 없다. 그냥 기부 항목이 있는 것이다. 쿨하게 순수성을 내려 놓으면 어떨까?

현실은 생각만큼 이상적이지 않다. 순수한 진실보다 불순한 진실이 더 많다. 배고픈 사람만이 레스토랑에 가야 하는 것은 아니지 않은가? 위장을 스캔해서 음식물의 소화 정도에 따라 레스토랑에 입장시킬 수는 없다. 사람들은 다양한 이유로 레스토랑에 간다. 누구는 맛을 위해, 어떤 이는 사교를 위해, 또 어떤 사람은 만료 직전 쿠폰을 해결하기 위해, 심지어 배불러도 분노를 식히기 위해 음식점에 간다. 나는 기부도 이런 레스토랑과 같다고 생각한다.

— 레스토랑 기부론.

부자에게도
백만 원은 백만 원이다.
얼마나 값어치 있는 곳에
의미 있게 쓰느냐에 따라
행복한 부자인지가
결정될 뿐이다.

주는 사람의 행복

어느 날 나는 이런 생각을 했다.

— 기부를 받는 사람이 더 행복할까 아니면
주는 사람이 더 행복할까?

기부라는 말은 영어로는 'Donation'인데, 이 단어는 '선물'이라는 뜻의 라틴어 'Donum'에서 파생되었다고 한다. 결국 기부는 '선물을 주다'라는 의미에서 나왔다. 한승헌 전 〈사랑의열매〉 회장은 영어 '도네이션'이 '돈 내이쇼'라는 한국말에서 나왔다고 우스갯소리를 자주 하셨다. 모금기관에서는 선물이라는 뜻의 기프트Gift를 기부라는 말로 자주 사용한다. 예를 들어 현물 기부는 'Gift in Kind', 온라인 기부는 'Virtual Gift'라고 쓴다. 어쨌든 기부란 기부금이라는 선물과 동시에 '주다'라는 행위를 포함한다.

어느 날 나는 이런 생각을 했다.

— 기부를 받는 사람이 더 행복할까 아니면 주는 사람이 더 행복할까?

선물을 주는 사람은 선물을 고를 때 한 번 행복하고, 받는 사람의 반응이 좋으면 또 한 번 행복해진다. 어쩌면 받는 사람보다 주는 사람이 더 행복해지지 않을까? 기부도 마찬가지다. 기부자들은 이구동성으로 '나누어서 행복하다'고 말한다. 사람들이 종종 묻는다. "정말 기부자들이 행복한가? 행복한 척하는 것은 아니냐."라고. 단언컨대 기부자들은 기부하는 순간 행복해했다.

내 복격담에 불과한 것일까? 캐나다 브리티시 컬럼비아대와 하버드경영대학원 연구진은 과학저널 〈사이언스〉에 다른 사람의 선물을 사거나 자선단체에 기부를 하는 등 '친사회적'으로 돈을 쓴 사람들이 자신에게 돈을 쓴 사람보다 훨씬 더 행복감을 느낀다는 연구결과를 발표하기도 했다. 행복 방정식이라는 게 있는지는 몰라도, 어쨌든 받는 것보다 주는 것이구나.

기부자들은 돈이 많아서 기부하는 건 아니었다. 〈아너 소사이어티〉 627호로 가입한 김방락 님은 기부할 당시 경비원으로 일하면서 모은 돈 1억 원을 기부했다. 일흔이 넘어서도 그는 지금도 경비원으로 일하고 있다. 유명인이나 성공한 사업가뿐만 아니라 누구나 나눔을 실천할 수 있다는 메시지를 세상에 전하고 싶어서 10년간 모은 돈을 기부했다. 돈이 넘쳐나 주체하지 못해서 기부하는 것이 아니라 세상을 보다 더 행복하게 만들기 위해 나누는 것이다. 그러니 기부라는 행위는 돈보다 더 귀중한 가치를 찾아낸 사람만이 할 수 있는 것이다. 그래서 사람들은 기부를 이타적이 행위라고 하는 것이다.

그러나 기부는 이타적이면서 이기적인 행위라고도 말할 수 있겠다. 선물을 주는 사람이 아무런 대가 없이 주더라도 그에 상응하는 보답을 받는 것과 같다. 일단, 자기 인생이 더 행복해졌으니까. 게다가 기부에는 직접적인 반대급부 '이익'이 있기도 하다. 모두 하나같이 중요하거나 유용한 이익이다.

— 평판. 주변 사람들로부터 좋은 평판을 받고 신뢰를 얻는다.

— 칭찬. 기부로 말미암아 타인에게서 진심이 담긴 신뢰를 받지 못할지는 몰라도, 누구나 그 행위를 칭찬하니까… 때로는 국가에서 훈장도 받는다.

— 세제혜택. 거의 모든 나라에서 기부금에 대해 세금을 대신하는 공익활동에 사용한 것으로 간주한다.

— 건강. 나눔을 실천하는 사람들은 건강에도 실제 도움이 된다고 한다. 이것을 의학적으로 '마더 테레사 효과'라고 하는데, 마더 테레사 수녀님처럼 나눔을 실천하는 사람들은 인체의 면역기능이 크게 향상된다는 것이다. 1998년 하버드 의대에서 이를 입증했다는 이야기도 있다.

— 자녀교육. 1983년 미국 하버드대 하워드 가드너 박사는 다중지능이론을 선보였다. 인간은 연관성이 적은 언어지능, 논리수학지능, 공간지능, 음악지능, 신체운동지능, 대인관계지능, 자아성찰 지능 등 일곱 가지 영역의 다중지능을 가지고 있다는 것이

다. 자원봉사와 기부는 대인관계지능과 자아성찰 지능을 높이는 것으로 나타났다. 대인관계지능과 자아성찰 지능이 높은 아이들은 리더가 될 자질을 키우는 것이기도 하다.

이렇듯 기부는 '선물을 주는 사람'에게도 이익이 된다. 돈의 많고 적음이 아니다. 누군가를 위해 줄 수 있다는 행위 자체이고, 그것은 타인을 위한 것이기도 하지만 건강도 지키고 지능도 높이는 내 자신을 위한 일이기도 하다.

한국인은 어려운 사람을 보면
바로 행동으로 옮기는
'기부 다혈질'이다.
도와주지 않으면 직성이
풀리지 않는다.

ARS 모금은 다른 나라에서는 잘
안 된다. 한국인들은 남을 돕기
위해 전화기를 든다.

아이스 버킷 챌린지

너무 재미있는 것도 문제다.
재미만으로는 모금 캠페인이 안 되는 것이니까.

— 지금부터 딱 한 시간, 후원금 5배 적립 기회를 놓치지 말기를!

홈쇼핑이나 신용카드사 광고가 아니다. 도널드 트럼프 대통령의 후원금 모집 요청 이메일이다. 조선일보 기자가 트럼프 대통령 재선 캠프에 기자 이메일을 등록했더니 이런 후원금 요청 이메일을 받았다고 한다. 오직 당신만을 위한 특별한 제안이라며, 딱 한 시간만 당신이 후원한 금액의 5배를 매칭해주겠다는 것이다. 10달러를 기부하면 50달러를 보태 60달러를 후원한 것으로 쳐준다는 것. 메일을 연 순간부터 한 시간짜리 시계가 째깍째깍 카운트 다운을 시작한다. 홈쇼핑을 보다 보면 매번 매진이라는 문구가 나온다. 주문 마감 시계가 째깍째깍 카운트 다운을 알리며, 주문注文을 하도록 주문呪文을 건다. 한국에서는 선거관리위원회가 문제삼을 만한 일인데 미국에서는 별일 아닌 듯 받아들일 수 있나 보다.

몇 해 전 얼음물을 뒤집어쓰는 이른바 '아이스 버킷 챌린지'가 대

유행이었다. 기업 회장, 스포츠 스타, 정치인, 연예인 등 유명인 치고 이 행사에 참여하지 않은 사람이 없었다. 지명되지 않으면 오히려 섭섭하게 느껴질 정도였다. '아이스 버킷 챌린지'는 미국에서 시작되어 SNS를 타고 전 세계로 퍼져나가 한국에도 상륙했다. 미국 루게릭 협회기 루게릭병 환자를 위해 기획한 모금 캠페인이었다. 한 달 만에 1억 달러 이상을 모아 많은 사람들을 놀라게 했다. 얼음물을 뒤집어쓰도록 지목받은 사람은 24시간 안에 얼음물 한 바가지를 뒤집어쓰거나 100달러를 기부한 후 다음 참가자 3명을 지목하는 방식인데, 얼음물도 뒤집어쓰고 기부도 했다. 차가운 얼음물이 지구촌을 뜨겁게 달구었다.

나 역시 당시에 지목을 받아 얼음물 세례를 받았다. 차가운 물보다 얼음덩이가 머리를 때리는 것이 좀 아팠을 뿐 할만 했다. 다음 사람을 지목하는 것이 힘들지, 마른 옷만 잘 준비되었다면 그리 어렵지 않다. 이런 일은 웬만큼 친하지 않고서야 지목하기가 쉽지 않다. 여벌 옷 준비가 힘든 여성은 피하게 되고, 혹시나 화내실까 해서 선배나 윗사람들은 피한다. 기부도 해야 하니 경제적으로 부담스러워하는 사람도 피한다. 그러다 보면 지목할 사람이 별로 없었다. 그래도 서로 웃으며 즐겁게 기부에 참여했던 것 같다.

이 캠페인을 보면 모금의 성공적인 요소를 몇 가지 발견할 수 있다.

— 첫째 뭐니 뭐니 해도 즐거움.

모금은 자칫 무거울 수 있다. 기부를 하면 좋은 사람이고 참여하지 않으면 그렇지 않다는 도덕적 의무감을 준다. 의무감을 느끼면 기부는 더이상 즐겁지 않다. 참여하기 좀 어려워진다. 웃음이 사라진다.

— 자발성.

이것은 첫 번째 요소와도 연결된다. 기부 방식이 즐거우면 사람들은 자발적으로 참여한다. 미국의 한 대학교는 대학 캠퍼스 광장에 창살 감옥을 만들어 놓고, 모금 목표가 달성되면 총장을 가두어 두겠다고 발표했다. 동문들과 학생들이 '총장을 감옥으로'라는 슬로건을 외치면서 즐겁게 참여했고, 대학 총장도 권위를 벗어버리고 기꺼이 창살 감옥에 갇히기도 했다.

— 릴레이 방식.

아이스 버킷 첼린지는 지목받은 사람이 기부도 하고 얼음물도 뒤집어쓰면서 다음 참여자 3명을 지목한다. 참여자가 점점 기하급수적으로 늘어날 수밖에 없다. 기부는 가까운 사람에게 권유받았을 때 가장 참여도가 높은 편이다. 기부를 지목받았는데도 사람들은 즐겁다. 지목한 사람에게 인정받는 기분도 든다. 처음 1명이 참여하고, 다음 3명, 9명, 27명, 81명 등 10단계만 거쳐도 102,768명이 참여하게 된다. 그 숫자가 얼마나 더 늘어날지 알 수 없을 정도다. 100단계 넘으면 아마 전 세계인이 얼음물을 뒤집어쓰느라 얼음 품귀 현상까지 생길지도 모른다. 모금을 기획할 때 나선형으로 점점 더 커지는 릴레이 방식으로 기획하고, SNS를 홍보수단으로 이용함으로써, 국경을 넘어 빠르게 퍼져나가고 있다는 점도 성공 요소라고 할 수 있다.

— 스토리가 있다는 것.

이 캠페인에는 스토리가 있다는 점도 눈길을 끈다. 이 캠페인은 미국 골프선수 크리스 케네디가 루게릭병을 앓고 있는 남편을 둔 조카를 위해 SNS에 올리면서 시작되었다. 루게릭병은 운동신경세포가 점점 없어져 수년 안에 서서히 죽어가는 난치병이다. 일반 대중에게 루게릭병도 알리고, 어려운 처지에 있는 사람도 돕는다는 데 사람들이 공감했다. 더구나 유명인들이 참여하면서 얼음물 바가지를 쏟는 과정에서 갖가지 재미있는 이야기와 감동이 전해졌다. 요즘처럼 스토리텔링 시대에, 모금이야말로 스토리가 필요하다. 사람들이 공감하지 않으면 참여하지 않기 때문이다. 감동적이고 때로는 재미있는 스토리들이 사람들을 불러 모으는 것이다.

그러나 아이스 버킷 챌린지는 한해 반짝하고 말았다. 시간이 지날수록 본래 취지에서 벗어나 재미 삼아 하는 사람들이 생겼고, 얼음물을 왜 쓰는지 모르는 채 웃고 떠드는 일로 그치고 마는 것이다. 너무 재미있는 것도 문제다. 재미만으로는 모금 캠페인이 안 되는 것이니까. 사회적인 대의명분이 가장 중요하다. 기부하는 이유이다. 이를테면 루게릭병이라는 난치병 환자를 돕기 위한 캠페인이라는 것을 잊지 말아야 한다는 것. 형식과 방법은 그다음 문제다. 많은 사람이 참여하기 위해 만든 형식이 본질을 덮어버리면 안 된다. 상업성이 더해지면 더 문제다. 일시적으로 모금할 수는 있어도 지속될 수는 없으니까.

좋은 모금이란 명확한 대의명분을 가지고, 사회구성원들이 순수한 마음으로 자발적으로 참여할 수 있도록 즐거움과 기쁨 그리고 보람을 줄 수 있어야 한다. 이 속에서 사람들은 감동을 받고 다른 사람으로 저절로 이어지고, 전 사회적으로 확산되는 것이 가장 바람직하다. 그래도 이런 아이스 버킷 첼린지를 보면서 우리 모금가들은 고민한다. 많은 사람의 관심을 모으는 그런 '스타 아이템'은 없는지 말이다.

라일락 이파리와
소액 다수의 힘

많은 사람의 지지를 받는 모금기관에
고액 기부자가 거액을 기부한다.
소액 모금이 바탕을 이루어야
고액 기부를 유치할 수 있다.
그래서 소액 모금만 하는 단체는 있어도
고액 모금만 하는 단체는 없다.

봄의 주인공은 역시 화려한 봄꽃이다. 목련을 시작으로 개나리, 진달래, 벚꽃, 라일락, 영산홍이 연달아 봄의 제전을 이어간다. 모든 봄꽃은 저마다 선명한 색과 화려한 모양을 가지고 있다. 그중 향기로는 단연 라일락이 최고가 아닐까. 개나리나 벚꽃의 향기는 기억이 잘 안 난다. 물푸레나무과인 라일락은 향기도 좋고 연보라의 빛깔도 곱다. 그래서 나는 이파리도 향기로울 줄 알았다. 라일락 향을 생각하고 한입 베어 물었다가 지금껏 맛보지 못한 지옥의 쓴맛을 봤다. 믿기 힘들면 한입 깨물어 보시라. 대부분의 꽃과 열매는 달다. 그렇지만 이파리는 쓴 편이다. 꽃에 비해 이파리의 숫자가 항상 많다. 그 많은 잎들은 꽃과 열매를 위해 엄청난 생명력을 발휘한다.

내가 라일락 이파리를 무심코 베어 물어 본 장소가 전라남도 진도였다. 가는 길도 멀고 마음도 무거웠다. 2014년의 일이다. 세월호 유가족을 위해 밥을 해주는 자원봉사 단체를 지원하기 위해 팽목항 현장과 체육관을 방문하는 길. 마음이 썼다. 괜스레 라일락 이파리를 물어 입안도 썼다.

미주 한인 풀뿌리 컨퍼런스의 상임이사인 김동석 씨는 오마이뉴스와 인터뷰[5]에서 '오바마와 트럼프를 대통령으로 만든 것은 소액다수 기부의 힘'이라고 밀했다. 2008년 미 대선에서 민주당 진영에는 힐러리가 주류였고, 오바마는 비주류였다. 미국 선거법에 200달러 이상의 기부 금액이라면 누가 그 돈을 기부했는지 일일이 보고해야 한다. 그러나 200달러 미만의 기부는 보고할 필요 없이 정치인 마음대로 쓸 수가 있다고 한다. 김 상임이사의 말이다.

— 정치인에게 이런 것이 진짜 강력한 돈 아닙니까? 그런데 오바마는 주야장천 그런 돈만 들어오는 거예요. 힐러리나 매케인 같은 주류 경쟁자들이 소수의 유지나 재력가로부터 대규모의 자금을 한꺼번에 받고 있던 것과는 대비됐죠. 비주류였던 오바마가 대통령이 될 수 있었던 것은 그런 작은 돈들이 엄청나게 모여 들었기 때문이었습니다. 2016년 트럼프 대통령도 마찬가지였죠.

사실 모금가 사이에는 〈호박 한 번 구르는 것이, 참깨 백 번 구르는 것보다 낫다〉는 말이 있다. 소액 기부를 아무리 많이 모아도 한 번 거액 기부를 유치한 것만 못하다는 말이다. 실제 모금 현장에서는 '2대8의 법칙'이 있는데, 20%의 소수 기부자가 전체 기부금의 80%를 낸다는 것이다. 실제로도 그렇다. 기부사 숫

---

5   오마이뉴스. 2018. 10. 20. 〈쏟아진 소액기부, 트럼프.오바마 만들었다〉

자로는 소수이지만 기부액수로는 대부분을 차지한다. 모금할 때 거액 모금 없이 계획을 세우면 목표 달성에 실패하기 십상이다. 예를 들어 천만 원을 모금 목표로 세웠다고 하자. 만 원권의 일 일 찻집 티켓을 천 장 팔아서 기금을 모금을 하겠다고 계획하면 대부분 실패한다.

모금목표 10,000,000원 ≠ 1만 원권×1,000장

일단 만 원은 개인이 지갑에서 쉽게 꺼낼 수 있는 돈이 아니다. 거기다 1,000장이라고 하는 숫자는 실로 어마어마한 것이다. 한 개인이 친구, 지인, 사돈에 팔촌까지 다 동원해도 백 명을 넘기 힘들다. 휴대폰 주소록에 천 명이 넘는다고 다 부탁할 수 있는 사이는 아니다. 만 원도 큰돈이라 쉽게 모금할 수 없는 큰 액수 이고, 천 명도 너무나 많은 숫자다. 이 계획은 '불확실성×불확 실성'이다. 목표달성은 어렵다.

그래서 천만 원을 모금하기 위해서는 방법을 달리해야 한다. 초 고액인 5백만 원권, 고액 1백만 원권, 중액 1십만 원권 등 고액 과 중고액으로 80%인 8백만 원의 목표를 채우고, 남은 2백만 원 을 2천 원권×1천 장으로 해야 목표를 달성할 수 있다. 2천 원은 사람들이 기꺼이 낼 수 있는 돈이기에 지인은 물론 불특정 다수 에게도 쉽게 접근할 수 있다. ARS 기부액이 1통화에 2천 원에서 3천 원에 형성되어 있는 것도 사람들이 큰 고민 없이 기부할 수 있는 금액이기 때문이다.

그렇다면 고액 기부만 신경 쓰면 되고, 소액 다수의 기부는 중요하지 않다는 말인가?

— 절대 그렇지 않다. 오히려 그 반대다.

소액 다수 기부가 없으면 절대 고액 기부를 유치할 수 없다. 고액 기부자에게는 신뢰가 중요한 기부 의사결정 요소다. 신뢰란 많은 사람이 지지하고 동참하느냐에 따라 결정된다. 많은 사람의 지지를 받는 모금기관에 고액 기부자가 거액을 기부한다. 소액 모금이 바탕을 이루어야 고액 기부를 유치할 수 있다. 그래서 소액 모금만 하는 단체는 있어도 고액 모금만 하는 단체는 없다.

고액 기부는 일시적으로 목표를 달성할 수 있게 해주지만, 장기적으로는 늘 불안 요소이다. 그래서 소수 거액 기부자에게만 의존하는 단체는 '불안정적 단체'라고 분류한다. 운에 의해서 또는 일시적으로 어쩌다가 고액을 유치한 것일 뿐 지속적인 성장이나 규모를 유지하기 어렵다. 어느 해에는 모금을 많이 했다가, 어느 해는 가라앉기를 반복한다.

소액 다수 기부는 고액 기부를 만드는 힘이다. 때로는 소액 다수의 기부가 폭발할 때도 있다. 기부의 명분이 대중의 마음을 파고들거나 참여하고 싶은 강한 동기를 만들 경우 고액 기부를 능가해서 모금기관이 예측한 목표를 훨씬 초과하기도 한다. 대부분 고액 기부자만 스포트라이트를 받지만, 실제는 소액 다수 기부가 있기에 고액 기부자가 있을 수 있는 것이다. 고액 기부자에게 영향을 주는 것은 결국 다수의 힘이다.

라일락 꽃 향기는 매혹적이다. 그러나 실제 그 향기는 많은 라일락 이파리가 만든다. 이제 와서 다시 보니 라일락 이파리 모양이 꼭 하트를 닮았다.

누가 트레비분수에
동전을 던질 것인가

모금함을 개봉하면 하얀 봉투가 발견되곤 한다.

— 경제 무난합니다. 내 마음이 평안합니다. 태윤·
태연·태인 할머니.

5만 원권이 담긴 한 시중은행 봉투에 서툰 글씨로
적혀 있는 문구였다.

현금 없는 사회가 일상화되고 있다. 고속도로 휴게소에서 호두 과자 한 봉지를 사 먹으려고 했더니 현금은 안 되고 신용카드만 된다고 한다. 신용카드는 코로나19 감염 경로 추적이 가능하지만, 현금은 내가 누구인지 추적할 수가 없어서다.

나는 아직도 고속도로 하이패스가 없다. 톨게이트에서 다른 차들이 하이패스 전용 차로로 속속 빠져나갈 때, 현금 전용차로에서 현금을 내고 거스름돈 받느라 시간을 지체한다. 이럴 때마다 항상 '하이패스를 사야겠다'고 후회한다. '하이패스는 빠르고 안전하다'는 한국도로공사의 정책에는 전적으로 동의한다. 초기 단말기 비용이 터무니없이 비쌌고, 구매할 수 있는 곳이 한정되어 있다 보니, 게으름에 차일피일 미루게 되었다. 그러나 이제는 나도 하이패스를 구입해야 할 것 같다. 톨게이트 현금 차로가 해마다 줄어들어서 이제는 하이패스 없이 톨게이트를 통과하기가 만만치 않다.

코로나19로 비대면 '언택트' 경제가 일상화되면서 화폐경제도 디지털로 바뀌고 있다. 디지털 화폐 개혁은 코로나19가 나은 뜻밖의 영향 중 하나다. 지금도 점차 보편화되고 있는 현금 결제의 디지털화가 코로나19 이후로 가속화될 것 같다. 중국이 먼저 중앙은행 차원에서 발행하는 현금과 같은 가지의 디지털 화폐 발행을 선언했고, 한국도 디지털 화폐 개혁에 박차를 가하고 있다고 한다.

정말 요즘 현금 보기가 힘들어졌다. 범죄영화에서 나오는 돈 가방에서나 가끔 구경할 뿐이다. 동전 구경은 더 어렵다. 2000년 이후로 태어난 아이들은 1원이나 5원짜리 동전을 본 적이 거의 없다고 한다. 1원 앞면에 무궁화가, 5원 앞면에 거북선이 있는지조차 모른다. 동전이 줄어들다 보니 가끔 길을 가다 동전을 줍는 일도 사라졌다. 학교 모금을 할 때 그동안 모은 저금통을 가져오라고 하면, 일부러 지폐를 동전으로 바꾸어서 저금통을 채운다는 소리도 들었다.

여러분이 몽골로 여행을 갔다고 하자. 몽골 현지에서 투그릭으로 환전하면 순간 부자가 된 느낌이 들 것이다. 한국 돈으로 10원 가치도 지폐로 주기 때문이다. 이것저것 물건을 샀다가는 지폐 더미를 받는다. 물건을 사면 살수록 지폐가 더 많아지는 마술을 체험하게 된다. 그렇지만 울란바토르에서도 작은 단위의 투그릭을 쓸 일이 별로 없다. 물가가 그리 싼 편이 아니다. 작은 단위의 투그릭은 징기스칸 공항에 놓인 모금함에 기부하는 것이 가장 돈을 잘 쓰는 방법이다. 잔돈을 가장 좋은 곳에 사용할 수 있도록 친절하게 세계 모든 공항에서는 모금함이 놓여 있다. 기내에서는 유니세프에 기부하기 위해 스튜어디스가 외국 동전을 모으기도 한다.

그렇지만 현금이 사라지면서 동전 모금함도 점차 사라지고 있다. 현금 거래 없는 매장이 늘어나면서 가게에 놓여 있는 동전 모금함 모금액이 매년 줄고 있다. 고속도로에 하이패스가 생기면서 톨게이트 모금인 〈동전 하나 사랑 더하기〉라는 이벤트 모금이 사라졌다. 이 톨게이트 모금은 2000년 12월에서 2007년 12월까지 8년간 동절기에만 126억 1천 9백만 원을 모았던 〈사랑의열매〉 10대 모금 사업 중 하나였다. 운전자들은 고속도로 통행료를 내고 남은 동전을 기꺼이 기부했고, 심지어 마음씨 좋은 트럭 운전자들은 그동안 모은 저금통을 통째로 기부하기도 했다. 겨울철 거리 곳곳에서 울리는 구세군의 종소리는 예전과 같지만 현금 없는 사회는 자선냄비를 점점 가볍게 만든다.

같은 액면가라도 지갑에서 꺼내는 현금 천 원과 카드단말기로 기부하는 천 원의 의미가 다르다. 지갑에 5만 원권 1장, 만 원권 1장, 천 원권 2장과 3백 원의 동전이 있다면, 기부 요청을 받았을 때 2천 3백 원을 모금함에 기부할 가능성이 높다. 작은 단위의 화폐를 기부하거나 지출하는 데 부담이 없다. 오히려 좋은 일 하는 데 잘 쓴 것 같아 기분이 좋다. 그러나 디지털화폐로 천 원을 지출하는 것은 좀 다르다. 인터넷 뱅킹으로 천 원을 이체하는 것과 천만 원을 이체하는 것의 노력과 에너지가 거의 같다. 수수료 생각을 하면 이체 단위가 작을수록 더 아깝다는 생각이 든다. 모든 디지털 금융 거래는 수수료가 발생한다. 기부도 예외는 아니다.

또한 현금 기부는 익명이 가능하다. 어떤 사람들은 세상을 위해 좋은 일을 하면서 굳이 밝히기를 원하지 않기도 한다. 그리고 현금 기부에는 감성적인 편지나 메시지를 남기는 것도 가능하다. 그래서 마음이 더욱 뿌듯하다. 사랑의온도탑 옆에 스마트 모금함에는 디지털 기부 단말기와 함께 현금 모금함을 동시에 설치했는데 금액 차이가 크다. 두 달 동안 디지털 기부액은 328,297원인데 비해, 현금 모금함은 2,239,470원이다. 모금함을 개봉하면 하얀 봉투가 발견되곤 한다.

— 경제 무난합니다. 내 마음이 평안합니다. 태윤·태연·태인 할머니.

5만 원권이 담긴 한 시중은행 봉투에 서툰 글씨로 적혀 있는 문구였다.

— 어려운 아이들의 치료비로 사용해 주십시오. 전국에 내 발길이 닿은 곳에서 장사를 하는 상인 여러분에게 감사드립니다. 내게 저렴하게 값을 받으신 상인들에게 마음을 담아 이렇게 답례를 조금 합니다.

'안창현'이라고 밝힌 한 기부자가 현금 50만 원과 함께 봉투에 넣은 편지 내용이었다.

〈서랍 속 나눔 캠페인〉을 한 적이 있었다. 서랍 속에 있는 10원 동전, 외국 동전 등을 모아, 저소득층의 생계비, 의료비로 지원하기 위한 캠페인이었다. 본인에게는 꼭 필요하지 않아 방치한 것이지만, 모으면 큰 자원이 된다. 현금 없는 사회가 기부에는 어떤 영향을 줄까? 이런 풍경은 점차 사라질 것이다.

외국 동전 이야기도 해야겠다. 해외로 출장과 여행을 많이 가면서 적어도 1달러 미만의 가치가 있는 외국 동전을 가지고 있는 사람들이 꽤 있을 것이다. 귀중한 자원이다. 그러나 '외국 동전 모으기'는 취지는 참 좋지만, 비용이나 수고가 엄청 드는 모금 방법이다. 동전 하나는 참 가볍다. 그렇지만 그걸 모으면 쇳덩이가 되는데, 그 무게가 실로 엄청나다. 모으고 나르는 데 많은 각오가 필요한데 무게로 인해 허리를 다친 사람도 의외로 많다. 모은 동전은 일일이 분류해야 한다. 나라별, 액수 단위별로. 생각보다 국적이 불명확한 동전이 많다. 우리나라처럼 친절하게 '한국은행'이라고 국적이 쓰여 있지 않다. 오래된 동전은 특유의 비린내가 나는데, 동전 하나일 때는 모르지만 수천, 수만 개의 동전을 모아, 분류 작업을 하다 보면 멀미가 난다거나 밥맛을 잃는 경우도 있다.

현금이 없어지면 누가 트레비분수에 동전을 던질 것인가? 이 세상 수많은 행운의 동전 연못이 다 사라질지도 모른다. 현금을 가지고 다니지 않으면 '기분이다' 하면서 팁을 더 준다거나 만 원의 용돈도 기뻐할 아이에게 한껏 마음을 써서 오만 원권을 꺼내고 일도 좀 줄어 들겠지. 아날로그 기부에는 봉투를 고이 접어서 편지에 마음을 담을 수 있었다. 그에 비해 아식까지 디지털 기부는 계좌이체를 하는 등 다소 불편한 부분들이 존재하고 심리적으로 덜 따뜻하게 느껴진다. 하지만 디지털 화폐가 도입된다면? 간편 결제처럼 간편 기부가 활성화된다면? 아날로그 기부의 장점은 사라지겠지만 기부의 속도와 투명성은 높아지지 않을까? 디지털 화폐에 기부할 수 있는 사회적 합의와 시스템을 갖출 수만 있다면, 동전을 분류하면서 멀미를 하거나 행운의 분수 동전을 수거하기 위해 바지를 걷는 수고는 잦아들 것이다. 쉽고 빠르게 모금하는 데 집중할 수도 있겠지. 이것이나 저것이나 인간의 기부하는 마음은 변하지는 않을 것이다.

모금가는 '수혜자',
'불우이웃'으로 표현하지 않고
'지원받는자'라고 표현한다.
가난은 죄가 아니다.
운명도 아니다.
일시적으로 어려운 것이다.
누군가 도와주면 희망을 가지고
다시 일어설 수 있는 사람들이다.
모금가는 기부자와 지원받는자
사이에 권력관계가 생기지
않도록 균형추를 맞춘다.

예측하지 말고
실천의 불을 켜라

모금 측면만 놓고 보면 늘 잿빛 전망이었다.
한 번도 모금하기 좋은 최적의 경제가 된 적이
없었고 모금하기 좋은 사회 상황은 있지도 않았다.
지금도 마찬가지다.

사회변화와 불확실성을 읽어내며 미래를 전망하는 사람들이 있다. 나는 이 전문가들이 과연 얼만큼 정확한지 의문이 들었다. 2020년 어느 날, 십 년 전인 2010년에 발간한 '2020년 경제'를 전망한 책을 보았다. 예측 전문가들은 신중해야 한다. 나처럼 이런 걸 십 년 동안 보관해두었다가 정말 맞았는지 검증해보는 매우 '속 좁은' 사람들이 있을 수 있으니까.

책은 정신 차리지 않으면 일본과 같은 잃어버린 10년을 맞이할 수도 있다는 무시무시한 내용을 담고 있었다. 결론부터 말하자면, 반은 맞고 반은 틀렸다. 미국의 달러는 몰락하지 않았고, 신재생 에너지가 상당 부문 석유를 대체하지도 않았으며, 석유가 경제성을 완전히 상실하지도 않았고, 아직까지 한국 사회는 인구 절벽으로 말미암은 고령화의 비극이 극에 달하지도 않았으며, 종신 고용의 붕괴로 중산층이 약화되었다고 확언하기 어렵다.

1984년 미국의 경제 전문지 〈이코노미스트〉는 흥미로운 실험을 했다. 전직 재무장관들, 다국적 기업 회장들, 옥스퍼드대 경제학과 학생들, 환경미화원들에게 10년 뒤 경제 전망을 물은 뒤 10년이 흐른 후 실제 상황을 대조해 본 것이다. 세상에는 나 같은 '속 좁은' 사람들이 많은 걸까? 예상 밖 결과가 나왔다. 환경미화원과 다국적 기업 회장들이 예측을 잘한 공동 1위였고, 옥스퍼드대 경제학과 학생들은 훨씬 못 미쳤고, 꼴찌는 전직 재무장관들이었다. 예측은 해봤자 큰 의미가 없는 것 같다.

어떤 기자가 〈사랑의온도〉⁶에 대해 물었다.

"사랑의온도 100도 달성하면, 모금 목표를 100퍼센트 달성하는 것인데, 그러면 더이상 모금을 하지 않나요?"

모금기관이 모금 목표를 세우는 건 예측이 아니다. 모금을 전망하거나 예측하기보다는 그렇게 하겠다는 의지가 모금 목표가 되는 것이다. 복지 수요가 모금된 재원인 공급보다 많다. 도움을 필요로 한 곳이 모금액보다 항상 많기 때문에 늘 더 높은 목표를 세울 수밖에 없다. 그러므로 100도를 넘는 의지가 필요하기도 하다.

모금기관은 경제 전망이나 사람들의 소비심리에 따라 목표를 정할 수 없다. 희망을 갖고 그렇게 되도록 목표를 향해 실천하는

---

6   사회복지공동모금회가 만든 개념으로 모금 목표액의 1%가 모일 때마다 수은주가 1℃씩 올라가는 온도를 뜻한다. 서울 광화문 광장을 포함하여 전국 17개 시.도에 '사랑의온도탑'이 세워져 있다.

것일 뿐이다. 모금 측면만 놓고 보면 늘 잿빛 전망이었다. 한 번도 모금하기 좋은 최적의 경제가 된 적이 없었고 모금하기 좋은 사회 상황은 있지도 않았다. 지금도 마찬가지다. 얼마만큼 더 나빠질지 가늠하기 힘들지만, 어쨌든 좋지 않다는 것만은 예측할 수 있다. 대기업들의 상황이 그리 밝지 않고, 중소기업도 더 어려워질 것 같다. 소비가 위축되다 보니 개인 기부나 자영업자들의 기부도 힘들어질 전망이다.

— 그렇다고 해서 손 놓고 기다릴 수만은 없는 노릇이니까.

작은 것이라도 실천하는 것이다. 기업이 어려울 때에는 개인이 힘이 되었고, 개인이 어려울 때는 기업이 힘이 되었으며, 경제가 어려우면 어려운 사람은 더 힘들겠다는 생각에 기부가 더 이어지기도 한다. 어두운 상황에서 사람들은 어둡다고 말한다. 그러나 누군가는 불을 켠다. 그때 우리는 빛을 본다.

악몽과 같은 그때

그런 일이 있은 후 사람들 앞에서 다시 모금하러
다닐 때는 마치 벌거벗은 채 상처투성이로
무대에서 웃고 노래해야 하는 가수가 된
기분이었다. 아무리 사람들이 수군거려도 무대에
올라가 웃고 노래해야 하는 것처럼.

2010년은 〈사랑의열매〉에 악몽과 같은 해였다. 그해 가을 설립 이후 최대의 신뢰 위기를 맞이했다. 같은 해 봄, 내부 공익신고로 지방 모금회에서 개인들의 일탈행위가 적발되었다. 중앙 감사실에 그 행위 사실이 접수되었을 때만 해도, 조직의 투명한 시스템으로 이겨낼 수 있을 것이라 생각했다. 조직은 무관용 원칙에 따라 비리를 저지른 직원을 전원 해고했다. 잘못 집행된 돈도 전액 회수했다. 그런데 그해 9월 국정감사를 앞두고 국회의원실에서 내부감사 자료를 요청했다. 내부에서 깨끗하게 정리한 사건이니 자료를 주자고 했지만, 당시 홍보실장이었던 나는 직감적으로 뭔가 잘못될 것 같다는 느낌이 들었다.

법정모금기관은 기부금 세제혜택이 지정기부금단체보다 높기 때문에 기부자를 유치하는 데 유리한 면도 있지만, 엄격한 의무사항이 있다. 우선, 외부로 배분 지출이 총모금액의 80% 이상이어야 한다. 공익사업이라도 모금기관 내부 사업으로 지출해서는 안 되고, 외부 단체를 80% 이상 지원해야 한다.

두 번째는 정부 감사는 물론 감사원 감사, 국회 국정감사까지 받아야 한다. 더구나 감사받은 것은 모두 다 공시되어서 누구나 볼 수 있어야 한다. 투명하다고 할 수 있지만, 사람들은 그렇게 생각하지 않는다. 완전 흠결 없는 조직이기를 바라지, 감사에 적발될 일이 있다는 것 자체를 좋게 생각하지 않는다. 어쩌면 법정모금기관의 숙명이라고 할 수 있다.

2010년 10월 초에 언론을 통해 그 일탈한 개인의 비리가 처음 보도되었다. 처음에는 내부 감사를 통해 적발한 것이라고 해명하면서 일단락되는 듯했다. 언론보도도 잠잠해졌다. 이때 홍보실장으로서 오판을 했다. 해명을 통해 설명이 가능한 방어선을 구축했다고 착각한 것이다. 그러나 상대는 더 큰 그림을 준비하고 대군을 몰고 왔다.

한 언론사 기자가 나를 찾아왔다. 그의 손에는 지난 10년간 감사지적사항을 모두 정리한 서류가 들려 있었다. 감사지적사항은 모두 해결하고 개선했다고 해명했으나, 그 기자는 내 해명을 들으러 온 것이 아니었다. 앞으로 생길 일을 예고한 것에 불과했다. 그의 옷자락이라도 붙잡으려고 "기자님, 기자님!" 하면서 사무실 밖 거리까지 뛰어나갔지만 그는 내 손을 뿌리쳤다. 순간 이것은 다른 차원의 정치적인 일이라는 생각이 들었다. 내 힘으로는 역부족이었다.

그 기자는 이미 공시된 10년간의 감사지적사항을 마치 이번에 새로 찾아낸 것처럼 연일 기획기사로 쏟아냈다. 보도는 다른 언론사로도 일파만파로 번져나갔다. 그래도 일일이 다 해명하려고 뛰어다녔다. 그러자 친했던 한 일간지 기자가 말했다. "김 실장. 지금은 백방으로 노력해도 못 막는다. 눈이 한참 내리는데 쓸어봐야 아무 소용없지. 다 내린 뒤면 모를까…"

중앙회 회장, 전국 지회장, 이사회, 사무총장 전원이 사퇴하게 되었다. 조직은 말 그대로 풍전등화의 위기에 처했다. 이제 남은 것은 사무처 직원들밖에 없었고 지켜줄 수 있는 방어막이 하나도 없었다. 사무실에는 매일 욕하는 사람들의 전화가 빗발쳤다. 조용한 사무실, 직원들의 흐느끼는 소리가 여기저기서 들렸다. 희미한 웃음소리 하나 들리지 않았다. 뭐라도 해야겠다는 생각이 들었다.

지인을 통해 언론사 사회부장을 만나서 자세히 설명해야겠다고 생각했다. 단 한 줄이라도 해명 기사가 나가기를 바랐다. 점심 약속 장소에서 기다렸다. 이윽고 지인과 한 일간지 사회부장이 들어왔다. 내가 명함을 건넸다.

"선배, 사랑의열매 사람 만나는 거였어요? 이런 만남이라면 나나갈게요." 하면서 자리를 박차는 것이 아닌가. 나는 다급한 목소리로 말했다.

"잠깐만요! 부장님, 사실을 알아야 하잖아요. 다 똑같이 말할 때

단 한 언론사라도 다른 시각으로 볼 수도 있는 것 아닌가요?"

그러자 그는 혹시나 해서인지 자리에 앉았다. 차근차근 지나온 경과를 설명했다.

그즈음 북한의 연평도 포격 사건이 벌어졌다. 많은 사람이 다치고 피해를 본 큰 사건이었다. 그러자 언론사들의 관심이 갑자기 바뀌었다. 그사이 더 많은 숱한 일이 있었지만 생략하겠다. 사태는 진정되어갔다. 그 후 대국민 사과 성명 기자회견과 조직 쇄신책을 발표하고, 수습국면에 들어갔다.

이 사건이 있는 동안 홍보대사, 기부자들, 위원들, 친한 기자들도 힘이 되는 말을 해주었다. "이 또한 지나가리라."라고 격려해준 기부자 앞에서 눈물을 흘리기도 했다. 다른 지방으로 인사발령을 받아 많은 직원이 정든 곳을 떠나기도 했고, 퇴사한 사람도 상당히 많았다. 다 제 갈 길을 찾아서 떠나갔다.

그 후 그날 만났던 사회부장이 있는 일간지는 전면 기사로 '마녀사냥식 감사'였다고 객관적인 기사를 냈다. 나는 당시 충북지회 사무처장으로 인사발령 난 상태였는데, 청주에서 그 중앙일간지를 받아보고 혼자 왈칵 눈물을 쏟았다. 최초의 해명 기사였기 때문이었다. 2011년 가을 국정감사상에서도 〈사랑의열매〉에 대한 감사가 지나쳤다는 지적이 나왔다. 아쉽게도 해명은 그 큰일에 비해 보이지 않을 만큼 작았다. 아물지 않은 큰 상처에 작은 밴드를 붙인 것처럼.

그런 일이 있은 후 사람들 앞에서 다시 모금하러 다닐 때는 마치 벌거벗은 채 상처투성이로 무대에서 웃고 노래해야 하는 가수가 된 기분이었다. 아무리 사람들이 수군거려도 무대에 올라가 웃고 노래해야 하는 것처럼. 한번은 어린이들에게 〈사랑의열매〉 상을 주는 시상식이 있었다. 그때만 해도 〈사랑의열매〉를 사람들이 어떻게 생각할지 두려움이 남아 있었다. 그러나 내게 상을 받으러 무대로 올라온 어린이는 기쁨에 차 있는 맑은 눈동자로 나를 쳐다보았다.

기부자는 사람을 보고 기부하지 않는다. 그 조직을 보고 기부한다. 그리고 기부자는 기부가 잘되는 곳에 더 많이 하는 경향이 있다. 이는 '밴드왜건효과, 상품평 효과'라고 할 수도 있다. 좋은 이미지나 평판을 유지하는 것도 중요하지만, 결국 강한 모금기관은 회계와 전산시스템 등 기본이 튼튼해야 한다. 그리고 더 좋은 모금기관은 신뢰를 잃지 않는 개방성과 시스템을 가지고 있어야 한다. 기부자들이 '기부 포비아'를 느끼지 않도록 모금기관은 더욱 최선을 다해야 한다.

— 신뢰를 잃는 것은 한 순간이다.
— 무너진 신뢰를 다시 쌓는 데까지 정말 오랜 시간이 걸린다.

제4장

모금가가
기부자를 만날 때

묻기만 하면 된다

우리는 잘 묻지 않는다. 거절당할 수 있다는
두려움에 늘 미리 안 된다고 판단한다. 요청한다는
것은 큰 용기가 필요하다. 하지만 일단 물어보면
될지도 모른다.

2000년 8월, 〈사랑의열매〉 회보 창간호 발간을 준비할 때 일이다. 들어갈 원고는 다 준비가 되었는데 표지를 결정하지 못했다. 도저히 생각이 나지 않았다. 그러던 어느 날 우연히 오래된 달력에서 이철수 판화가의 작품을 보게 되었다. 〈사랑의열매〉를 소재로 한 판화였다. 이거다 싶었다. 물어 물어서 이철수 판화가의 전화번호를 알아냈다. 너무나 유명한 사람이었고, 대뜸 전화를 해서 작품을 달라고 요청하기가 겁이 났다. 몇 번을 망설이다 전화기를 들었다. 그리고, ─ 물어보았다.

─ 물론입니다. 박달재에 작업실이 있는데, 여기까지 오신다면야…

이철수 판화가의 답이었다. 정말 무더운 여름이었던 것 같다. 주소도 없이 충북 제천 박달재로 갔다. 내비게이션도 없던 시절이라 초행길에 어떻게 갔는지 기억도 잘 안 난다. 이철수 판화가는 흔쾌히 작품 원본을 주었고, 그 작품은 회보 창간호와 〈착한가게〉[7] 현판으로 〈사랑의열매〉 이미지에 두루 쓰였다.

2008년 7월, 췌장암으로 세상과 작별하기 전까지 카네기멜론 대학교 랜디 포시Randy Pausch 교수가 어린 세 아이들을 위해 남긴 '마지막 강의'가 생각난다. 그의 강의 중에서 '당신은 묻기만 하면 된다'는 대목이 있다. 랜디 포시 교수는 자신의 아버지와 아들 딜런과 함께 디즈니월드 여행을 하게 된다. 당시 아버지와 아들은 모노레일 맨 앞쪽 운전자 좌석에 앉고 싶어했다. 일반 관객은 절대 앉지 못한다는 관행이 있는 자리라서 아버지는 낙담했는데, 포시 교수가 안내원에게 다가가 그 자리에 앉아도 되냐고 물었다.

— 물론입니다. 손님.

안내원은 아버지와 아들이 앉고 싶던 자리로 안내했다. 포시 교수가 말을 이었다. "내 인생에서 아버지가 그렇게 깜짝 놀라는 모습을 본 건 이때가 유일했다."면서, "때때로 당신은 그저 물어보기만 하면 되고, 그것이 당신이 일생 동안 품어왔던 꿈을 이루는 길로 이끌 수도 있다."는 말을 했다. 우리는 잘 묻지 않는다. 거절당할 수 있다는 두려움에 늘 미리 안 된다고 판단한다. 요청

---

7 〈착한가게〉는 중소규모 자영업자들이 매월 매출의 일정액을 기부하는 정기 기부 프로그램을 뜻한다. 사랑의열매 사회복지공동모금회의 〈착한가게〉 프로그램은 2005년 시작되었다.

한다는 것은 큰 용기가 필요하다. 하지만 일단 물어보면 될지도 모른다.

— 장벽은 절실하게 원하지 않는 사람들을 걸러내려고 존재합니다. 장벽은 당신이 아니라 '다른' 사람들을 멈추게 하려고 거기 있는 것이지요.

랜디 포시 교수의 말이다.

기부자가 아니라
모금가가 먼저
지치기 때문에

런던에서 만난 영국의 모금전문가 조 삭스턴은
내게 이런 이야기를 했다.

— 기부자가 아니라 모금가가 먼저 지치기 때문에
모금하기가 쉽지 않지요.

사람들은 기부하지 않는 첫 번째 이유를 경제적으로 여유가 없어서라고 한다. 두 번째는 모금기관을 믿지 못해서라는 것이다. 세 번째는? 요청받지 않아서.

모두 맞는 말이다. 그러나 내가 생각하기에 사람들이 기부하지 않는 가장 큰 원인으로는 바로 '제대로 요청받지 않아서'인 것 같다.

기부 요청에는 단계가 있다. 방송이나 인터넷 매체광고를 통해 기부해달라는 요청이 첫 번째 단계다. 광고를 보고 마음이 움직여 기부하는 확률은 0.4%라는 연구 결과가 있다. 아마 실제는 이것보다 더 낮을 것이다. 다음은 각종 물품 구매요청하면서, 기부하도록 요청하는 방법이다. 장애인이 만든 비누라면서 사달라고 전화하는 방식이다. 비용이 많이 들고, 요즘 스마트한 소비자에게 잘 통하지 않는다. 그 다음은 거리모금이다. 요즘 해외 개발 NGO들이 거리에서 시민들에게 무작위로 홍보하고 접근한다.

관심 있는 사람이야 바쁜 걸음을 멈추겠지만, 신뢰성은 떨어지는 접근방법이다. 다음은 이메일이나 편지를 보내는 요청이 있다. 정보의 홍수 속에서 이 역시 사람들의 마음을 움직이기가 쉽지 않다. 직접 전화로 요청하는 방법은 텔레마케터의 고충을 보면 알듯, 화률도 낮고 통화조차 힘들다.

가장 확률이 높은 요청 단계는 지인을 통해 소개받아 직접 대면하여 요청하는 것이다. 누구나 할 수 있을 것이라 쉽게 생각할 수 있겠지만, 처음 만나는 사람에게 기부를 요청한다는 건 여간 어려운 일이 아니다. 기부자에 대한 정보 등 준비할 것도 많고, 모금기관이 할 수 있는 일과 없는 일을 판단해서 제안하는 협상 능력이 있어야 한다. 제일 확률이 높은 기부 요청도 이렇게나 쉽지가 않다.

결국 모금을 잘하는 방법을 묻는다면, 기부할 가능성이 높은 사람을 찾으면 된다. 무책임한 답이라는 것을 나도 잘 안다. 마치 시험을 잘 보는 방법을 물어보니 답을 잘 찾으라는 대답과 같은 식이다. 그런데 이것이 정답이다. 시험을 잘 보려면, 공부를 해야 한다.

— 시험 공부는 왜 하는가?
— 정답 맞춤 확률을 높이기 위해서.

기부에서도 마찬가지다. 모금 성공을 높이려면 가능성을 넓히

고, 확률을 높여야 한다. 기부자는 오랫동안 기부할지 고민한 후
에 결심을 한다. 그러나 결심했어도 고민은 또다시 시작된다. 어
디에 기부할지가 쉽지 않다. 요즘에는 정보가 많아서 직접 기부
할 곳을 찾기도 하지만, 대부분 기부에 대해 잘 알 만한 주변 사
람들에게 물어본다. 결국 그 사람을 만나야 한다. 그 주변 사람
이 바로 모금에서 가장 중요한 '복잡계 중심의 인물'이다. 이 사
람이 기부자 방에 들어가는 열쇠를 쥐고 있다. 그래서 나는 이
사람을 '키 퍼슨Key Person'이라고 부른다. 이 '키 퍼슨'을 찾는 것
이 확률을 높이는 일이다.

예를 들어, 내가 이른바 '대박스타'를 만나 〈사랑의열매〉 홍보대
사를 제안하고 싶다고 하자. 무작정 용기를 가지고 '대박스타' 소
속사를 찾아가면 성공할 수 있을까? 아마도 99.9% 거절당할 것
이다. 대박스타를 만나기까지 서너 명의 '키 퍼슨'을 더 거쳐서
접근해야 한다. 이 중간마다 '키 퍼슨'을 얼마나 잘 알고 있는지
가 모금 성공의 관건이 된다. 그러려면 부지런하고 인맥관리를
잘해야 한다. 이게 참 사람 지치게 하는 일이다. 하지만 귀찮더
라도 그래야 한다. 런던에서 만난 영국의 모금전문가 조 삭스턴
은 내게 이런 이야기를 했다.

— 기부자가 아니라 모금가가 먼저 지치기 때문에 모금하기가
쉽지 않지요.

이런 일이 있었다. 어느 기부자가 실무자의 실수를 오해한 적이

있었다. 예정된 기부 전달식 당일, 기부를 철회하겠다고 전화를 했다. 담당 실무자는 자신의 잘못이라며 낙담했다. 그의 잘못은 아니었다. 확인해 보지 않았던 내 잘못이 컸다. 바로 기부자를 만나러 가자고 했더니, 실무자는 기부자가 만나주지 않을 것이라면서 당황해했다. 물론 나도 알고 있었다.

기부자 사무실로 가는 내내 아무 말을 안 했다. 가는 길이 무척 길게 느껴졌다. 마침내 기부자 사무실에 도착했다. 크게 호흡을 하고 기부자 집무실로 찾아 들어갔다. 기부자 회사 비서의 경고에도 불구하고 나는 그의 집무실 문을 노크했다. 지옥의 문을 두드려도 이보다 더 두렵지는 않았을 것이다. 그는 내게 눈길도 주지 않았다. 모니터만 응시하면서 말했다.

"나가시라고요. 오지 말라고 했는데도 찾아옵니까? 내 돈을 소중하게 생각하지 않는 당신 같은 조직에는 한푼도 기부하고 싶지 않습니다."

"제 이야기 좀 들어주십시오. 그것은 오해입니다…"

내 말이 끝나기도 전에 우리는 쫓겨나듯 나왔다.

나는 실무자에게 저분이 꼭 다시 기부할 수 있도록 하겠다고 말했다. 그는 별로 믿지 않는 눈치였다. 그 후로 전화를 몇 번이고 했다. 기부자는 처음에는 전화하지 말라고 큰소리로 말했다. 두 번째는 다음 달 하라고 했다. '다음 달 하라고 하셔서 전화드린다'면서 세 번째 전화를 했다. 바쁘니까 다음에 하라고 했다. 편지를 보내고, 문자를 보냈다. 탁상 캘린더에 그 기부자 이름을 적어놓고 매월 첫날 전화를 했다. 그의 목소리는 점차 누그러졌다. 그리고 마침내 한번 보자고 했다. 그때 기부 가입서를 가지고 갔다. 거절 후 10개월이 걸렸다. 그는 나처럼 포기하지 않는 사람은 처음 본다면서, 그만큼 자신의 기부금을 잘 관리해줄 것 같다며 거액을 기부했다.

견고하게 잘 듣기

그러나 나중에는 '맛있게 듣는 법'을 터득했다.
'소리'가 아니라 '영상'으로 듣는 것이다.

기부자들은 경청하는 사람을 신뢰한다. 물론 진정성은 있어야 한다. 사업을 하거나 인생 오래 살다 보면, 어느 정도는 사람들의 마음을 읽게 된다고 한다. 그 사람이 진심으로 경청하는지, 자기가 하고 싶은 말이 있는데 억지로 참으면서 듣는 것인지 다 안다고 한다.

그래서 모금가는 무엇보다 말을 잘하기보다는 잘 듣는 사람이 되어야 한다. 내 경우도 마찬가지다. 기부자를 만나도 나는 듣는 편이고 기부자들이 주로 이야기를 한다. 나는 그저 '그래서요?', '저런' 따위로 추임새를 넣는다. 기부자의 대화 주제는 주로 자신이 살아온 인생 역정이다. 기부 관련 대화는 10%도 안 된다. 가끔 자신의 이야기를 한참 하다가 '그런데, 자네 왜 왔지?' 하는 분도 있다. 그제야 '기부하신다고 해서 왔다'고 말을 꺼낸다. 그러면 이야기 잘 들었다며, 흔쾌히 기부 약정서에 사인을 해주신다.

화가 나 있는 기부자가 책임자 오라고 할 때도 있다. 이럴 때는 각오를 단단히 해야 한다. 마음 굳게 먹고 잘 들어야 한다. 회사 대표인 기부자는 그 회사 직원들이 월급을 모아 기부하는 〈착한 일터 프로그램〉에 가입하기로 뜻을 모았다. 그런데 기부자는 뭔가 마음에 안 들었던 모양이었다. 그래서 〈사랑의열매〉 지회 책임자를 오라고 한 것이다. 만나고 보니 몇 년 선에 〈아너 소사이어티〉에 가입하고 싶다고 〈사랑의열매〉에 전화했는데, 우리 모금회 직원이 전화를 돌려가며 담당자가 없다고, 제대로 답변하지 못했던 것 같았다. 그래서 그 이후로 만나는 사람마다 〈사랑의열매〉에는 기부하지 말라는 말을 하고 다녔다는 것이다.

하필 내 차례가 되어 이 분을 만나다니. 그분은 거의 한 시간 동안 〈사랑의열매〉의 문제점을 말씀하셨다. 목소리는 얼마나 우렁차고 쩌렁쩌렁하던지 가슴통이 다 울렸다. 한 여름이어서 엉덩이는 땀이 차서 흥건해졌다. 자리에서 일어날 때 가죽 소파에 민망할 정도로 흔적을 남겼다. 며칠 뒤 그는 나를 다시 불렀다. 나는 직원에게 기부 약정서를 준비하라고 했다. 직원은 의아해했다. 다시 만난다는 것은 기부하겠다는 의미다. 인내심을 가지고 경청하는 '견고한' 모금가에게 기부자는 호의적이다.

물론 말하는 것도 중요하다. 고양시에 있는 어느 공장 사무실을 찾아갔는데, 폭우로 약속 시간보다 10분 정도 늦었다. 기부자는 늦었다는 것에 화가 난 듯했다. 늦어서 죄송하다고 했지만, 기부자는 자리에 앉으라는 말도 없이, 전화를 받고, 본인 회사 직원들의 보고를 받는 등 자신의 일만 했다. 존재하지 않는 사람처럼 어정쩡하게 10분을 서 있었다. 빗물과 식은땀이 바닥에 뚝뚝 떨어졌다. 즐거울 때의 10분은 아무것도 아니지만, 곤란할 때의 10분은 너무나 긴 시간이다. 물속에 숨을 참고 10분을 견디는 기분이었다. 나는 그 10분 동안 마음속으로 할 말을 정리하기로 했다. 자리에 앉아 대화를 시작하자마자 절제되고 준비된 말을 했다. 눈빛이 신뢰로 바뀌는 것을 느낄 수가 있었다. 대화를 마칠 때 즈음 기부자는 자신이 쓴 책을 주면서, 다음에 다시 보자는 말을 했다.

기부자 중에는 같은 말을 반복하는 사람이 있다. 처음에는 끝까지 집중력을 잃지 않고 경청한다는 것 자체가 힘들었다. 그러나 나중에는 '맛있게 듣는 법'을 터득했다. '소리'가 아니라 '영상'으로 듣는 것이다. 한국전쟁 참전 용사였던 한 기부자는 중공군과 치열하게 싸웠던 어느 전선의 처참한 전투를 자주 이야기했다. 후퇴하면서 적의 시체의 움켜쥔 손에서 생쌀을 주어다 씹으며 총을 쐈다는 이야기를 머릿속에 영상으로 그리면서 들으면 몇 번을 들어도 생생하다.

어떤 기부자는 신문 스크랩이나 사진 등 자료를 보여주면서 대화한다. 하루는 직원과 동행했는데, 기부자가 "스크랩북이 어디 있더라" 하면서 우리 직원에게 찾아오라고 했다. 나는 선반에 있는 검은색 파일이라고 알려주었다. 기부자와 대화를 마치고 사무실로 돌아가는 길에 직원이 물었다.

― 본부장님은 마치 처음 듣는 것처럼 흥미롭게 듣던데… 어떻게 스크랩북 존재나 위치를 알고 있었어요?

나는 영상으로 듣는 요령을 알려주었다.

기부는 바이러스보다
더 빨리 확산된다.

코로나19가 급속도로
퍼지던 그때 두 달 동안
우리 국민들은 역사상 가장 큰
모금액을 모았다.
2,786억 원이었다.

기업의 새로운 이익,
사회경쟁력

발표 전날까지 일과가 끝나면 집 근처 작은 공원에서
미친놈처럼 그 십 분을 큰소리 내며 스피치 연습을 했다.
그 공원의 실제 이름이 '손바닥공원'이었다.
나는 손바닥공원에서 얼마나 그 십 분을 지웠다
다시 쓰기를 반복했는지 모른다. 아마 지나가던
사람이 나를 보고 이렇게 말하지 않았을까.

— 손바닥공원에 웬 미친놈이 혼잣말하며 어슬렁거려.

〈사랑의열매〉에서 정기적으로 기부하는 사람들과 기부하지 않는 사람들 각각 4백 명을 대상으로 설문 조사를 실시한 적이 있었다. 정기 기부자는 직장생활과 가정생활에 있어서 80.3%가 만족하고 있었고, 비기부자는 63.8%였다. 모든 지표에서 정기기부자가 삶과 일에서 더 긍정적인 면이 높게 나왔다. 매사 긍정적인 사람이 일에 있어서도 생산성이 높고, 안정적인 생활을 유지할 수 있다는 것을 말해준다. 결국 기부는 본인에게 더 이익이 될 수 있다. 직장 단위의 단체 기부를 통한 기부 경험이 계기가 되어, 기부의 '심리적 회계'가 생기기도 한다.

십여 년 전 어느 기업에서 있던 일이 생각난다. 당시 그 회사는 경영상 어려운 상태였다. 그럼에도 노사가 기부하기로 결정했던 것이다. 회사 내에서 '100분 토론'이 벌어졌다. 100분 동안 임직원 100명(분)이 모인 가운데 월급의 일부를 기부하되, 이 기부금을 어디에 쓸 것인지 토론하는 자리였다. 어느 모금기관에 기부할 것인가? 두 군데 모금기관을 초청했다. 〈사랑의열매〉와 다른 모금기관. 모금기관의 발표를 듣고 나서 어느 곳에 기부할지를 결정하기로 했다. 당시 〈사랑의열매〉는 큰 신뢰 위기[8]를 겪고 나서 몇 개월 되지 않을 때여서 〈사랑의열매〉에 대한 그 기업 임직원들의 인식도 좋지 않았다. 두 기관의 발표를 비교해서 듣고 결정하는 자리였기에 더욱 부담스러웠다. 예비 모임에 갔다. 이미 상내 기관으로 벌써 기울어진 느낌이 들었다. 주관적인 느낌이었겠지만, 그 기업 직원들이 상대 기관에는 우호적으로 대하고, 웃음이 넘쳤다. 반면 우리 기관에 대한 예비 질문을 받아보니 다 부정적인 내용뿐이었다.

― 나는 부정적인 편향과 싸워야 했다.

동행했던 직원이 아무래도 어렵겠다고 말하니 더욱 용기가 나지 않았다. 세상 외롭고 두려워졌다. 내 실패가 조직의 실패로 직결될 것을 생각하니 두려울 수밖에. 나 혼자만 비난받으면 감수할 수 있지만 많은 직원의 노력이 나로 인해 수포로 돌아가면 어쩌나, 고민스러웠다.

내게 주어진 발표 시간은 단 십 분. 세상에서 가장 길고 무거운 십 분이 될 것이라는 직감이 들었다. 발표 전날까지 일과가 끝나면 집 근처 작은 공원에서 미친놈처럼 그 십 분을 큰소리 내며 스피치 연습을 했다. 그 공원의 실제 이름이 '손바닥공원'이었

---

8 제3장의 〈악몽과 같은 그때〉에 씌어 있는 위기를 말한다.

다. 나는 손바닥공원에서 얼마나 그 십 분을 지웠다 다시 쓰기를 반복했는지 모른다. 아마 지나가던 사람이 나를 보고 이렇게 말하지 않았을까.

— 손바닥공원에 웬 미친놈이 혼잣말하며 어슬렁거려.

마침 그 당시 리처드 세일러가 쓴 〈넛지Nudge〉라는 책을 읽고 있었는데, 거기에서 '심리적 회계'라는 개념을 알게 되었다. 이때 나는 사람들이 기부하기 위한 돈도 기부라는 항목으로 따로 정해놓는다는 점을 깨달았다. 직장 단위의 월급 기부도 직원 각자에게는 좋은 일을 위한 심리적 회계 계정인 기부 계정을 만들 수 있는 것이다. 나는 기부가 지니는 어떤 순수한 이미지를 강조하기보다는 기업의 이익과 그 이익을 위해 필요한 '경쟁력'이라는 개념을 차용해서 발표하기로 했다.

— 그 작은 돈은 한두 잔 커피 값에 불과할지도 모릅니다. 하지만 전 직원이 그걸 함께 모으면 큰돈이 됩니다. 그 돈이 우리 사회를 위해 좋은 일로 쓰일 수 있음은 물론이거니와 기업의 '사회 경쟁력'을 갖추는 데에도 쓰일 수 있습니다.

'사회경쟁력'이란 사회와 조화를 통해 기업이 갖게 되는 경쟁력을 말한다. 기업의 경쟁력은 유형 자산인 자본, 설비 등 장부 가치도 중요하지만 무형 자산인 조직문화, 명성, 이미지와 위기 극복 능력도 중요하다. 이러한 것이 모두 '사회경쟁력'을 구성한다. 그때의 10분은 짧지만 긴 시간이었다. 몇 개월 뒤에 그 회사는 〈사랑의열매〉에 기부하기로 결정했다. 지금도 계속 되고 있다. 어려운 시절에 노사가 기부로 합심한 회사는 이후 어려움을 이겨내 탄탄한 기업으로 성장했다고 한다.

돈은 이자만을 만들지만 그 돈을 나누면 행복이라는 보너스가 온다. 이만한 경제적 이득이 또 있을까? '나눔의 재테크'가 가능하다는 의미다. 어떤 심리적 회계를 두고 있는가에 따라 인생이 달라진다. 심지어 회사도 달라진다.

도움 그 이후의 일들을 생각해야
한다. 불쑥 나타난 선의의
'키다리 아저씨'는 섣부른
기대감만 준다.
지원 중단은 또 다른 상처와
절망을 낳는다.

그래서 기부는 시스템이다.

넛지

모금가 중에는 자신이 뛰어난 전략가로 기부자에게
적극적으로 찾아가 기부할 때까지 강하게
요청하기를 잘 한다고 자랑하기도 한다.
이것은 모금이 아니라 불법 채권 추심 같은 것이다.

— 모금가가 채권 추심단은 아니지 않은가.

무엇인가 행동으로 슬쩍 기분 안 나쁘게 유발하는 기제를 넛지 Nudge라고 한다. 디지털 정보화 시대에는 검색 제안을 해주는 알고리즘이 넛지 역할을 한다. 우리는 수많은 넛지에 노출되어 행동으로 옮기는 데도 미처 알아채지 못한다. 알아채면 넛지가 아니라 강요다.

넛지는 원래 '팔꿈치로 슬쩍 찌르다'라는 뜻이다. 무엇인가 행동하라고 팔꿈치로 슬쩍 찌른다는 의미다. 미국의 리처드 세일러와 캐스 선스타인은 〈넛지〉라는 책을 써서 '사람들의 선택을 유도하는 부드러운 개입'이라는 새로운 용어를 만들어냈다. 책 표지에는 엄마 코끼리가 코로 아기 코끼리를 슬쩍 밀고 있다. 대표적인 넛지가 남자 화장실 소변기에 파리 모양을 그려 넣는 것이다. 남자들이 '눈물만이 아니라 다른 것도 화장실에서 흘리지 않도록' 목표점을 만든 것이다. 이 책을 읽고 나서 보니 과연 화장실 소변기마다 파리를 그려 놓았다.

그런데 2008년도에 나온 이 책이 2020년에 다시 주목을 받았다. 재난지원금 기부 때문이었다. 정부가 코로나19 경제회복을 위해 전 국민에게 재난지원금을 지원하면서 기부하도록 한 것이다. 지원금 신청과 기부 신청을 혼동해서 기부한 사람들이 많았고, '실수 기부'라는 전대미문의 기부 용어가 등장하기도 했다. 재난지원금을 신청할 때 정부가 기부를 유도하기 위해 넛지를 가한 것이 아니냐고 하면서 넛지라는 용어가 다시 화두로 떠오른 것이다.

— 그러나 기부의 제1 원칙이 자발성이다.

자발적이지 않은 것은 '징수'다. 그러니 정책 입안자 입장에서는 넛지시 강요해야 하는데, 그 방법이 너무 티가 났다. 사람들이 반발했고 넛지는 실패했다. 넛지는 명령이나 지시여서는 안 되고, 특히 강요가 티가 나면 안 된다.

특히 재난지원금을 신청하지 않으면 자동으로 기부되도록 디폴트 옵션을 두었다. 디폴트 옵션이란 지정하지 않으면 자동으로 선택되는 것을 말한다. 예를 들어 한 직장에서 월급 기부 캠페인을 한다고 하자. 기부하기 싫은 사람은 총무팀에 가서 기부 거부 신청서를 제출해야 하고, 그렇지 않은 사람은 모두 자동으로 기부한다고 디폴트 옵션을 둔다고 하면, 기부액이 늘어날 것이다. 그러나 기부 강요가 너무 티가 난다. 한 번 정도는 성공하겠지만 내부 반발이 심해서 결국 이 캠페인은 오래가지 못할 게 틀림없다.

넛지나 디폴트 옵션은 모금기관에서 많이 이용하는 기부 유도 방법이다. 사람들의 행동을 기분 안 나쁘게 유도해야 하기 때문에, 많은 노력을 기울인다. 넛지의 반대가 '뉴슨스Nuisance'라는 것인데, 말 그대로 타인이 기획자의 의도대로 행동하도록 강요하고 개입하는 것이다. 모금가 중에는 자신이 뛰어난 전략가로 기부자에게 적극적으로 찾아가 기부할 때까지 강하게 요청하기를 잘 한다고 자랑하는 모금가가 있다. 이것은 모금이 아니라 불법 채권 추심 같은 것이다.

— 모금가가 채권 추심단은 아니지 않은가.

한 번 정도 우연히 그런 강요와 개입에 관대하게 행동해주는 너그러운 기부자를 운 좋게 만났을 때나 가능하다. 대부분의 기부자는 거부감을 갖고 기부하려다가도 중단한다. 기부는 강요할수록 달아난다. 기부를 오랫동안 고민을 거듭한 사람이 쉽게 결정할 수 있도록 넛지시 돕는 정도가 가장 효과적이다.

"A는 아프리카 빈곤가정 아이입니다. 아파서 일을 못하는 어머니와 사는 A는 오늘도 굶주렸고, 내일도 기약할 수 없는 어려움에 처해있습니다. A처럼 아프리카에는 절대적인 빈곤한 소외계층이 수백만 명이나 됩니다. 당신의 도움이 없으면 희망이 없습니다. 아프리카를 도와주세요."

이런 문구는 기부자에게 압박을 주지만 동시에 부담이 된다. 기부자 본인이 해결하기 어려운 너무 큰 사회 문제를 접하면 기부하기가 힘들어진다. 기부자는 자신의 기부가 너무 미미해서 큰 문제 해결에는 보람이 없다고 생각하기 쉽다.

오히려 작은 개입으로 큰 효과를 볼 수 있는 깃에 기부 요청받을수록 관심이 생긴다.

"월 2만원을 기부하면 우간다 어린이 매월 10명, 연간 120명에게 회충약을 사주어서 아이들이 학교에 나와 공부할 수 있도록 도울 수 있습니다. 우간다 어린이들의 학습 부진의 큰 원인 중 하나는 기생충 감염으로 인한 결석과 조퇴입니다."

일주일 한 잔의 커피만 안 마셔도 나는 매년 120명의 어린이들에게 학습 기회를 줄 수 있는 셈이다. 어마어마한 빈곤을 해결해달라는 것보다는 마음을 움직일 가능성이 높다.

잘 되는 모금기관이 더 잘되는 경향이 있다. 전 세계 대부분 20% 모금기관이 전체 모금액의 80%를 차지하고 있다. 우리나라도 그런 편이다. 너무 많은 정보로 인해서 기부자는 선택하기가 쉽지 않다. 특히 눈에 보이지 않는 기부 상품이라는 것을 구매하기 위해서는 상품평이 필요하다. 기부에서의 상품평이란 다른 사람의 선택이 얼마나 많은지를 말한다. 기부자 수가 많은 모금기관은 더 확장될 가능성이 많다. 특히 유명한 사람이 기부 선택을 했을 때 그 영향도 더 커진다. 예를 들어 연예인 등 인기스타, 유명한 정치인, 경제 전문가, 저명한 학자 등이 기부한 모금 기관이라면 믿고 기부하는 것이다.

그렇기 때문에 모금기관은 신뢰 장치를 더욱 견고하게 해야 한다. 사람들의 선택이 후회하지 않도록 철저한 관리가 필요한 이유다. 한번 무너지면 연쇄적으로 무너지는 이유는 사람들의 기부가 다른 사람의 기부에 영향을 받아 이루어지기 때문이다. 기부는 모금가의 넛지 같은 기부 요청, 마음을 움직일 정도로 절실하면서도 기부를 통해 해결 가능한 정도의 사회 문제, 모금기관의 신뢰가 직렬로 결합될 경우 더 성공한다.

앞사람 따라 하기

사람들은 어떤 부분에 있어서는 궤도에서
잘 벗어나지 않는다. 아무 생각 없이 앞 사람의 길을
따라 걷는 것을 편하게 생각한다.
길이란 것도 누군가 걸었던 길을,
뒷사람이 따라 걷고,
이후 여러 사람이 계속 다녀서 생기는 법이니까.

한일 관계가 좋았을 때 한국 사람들이 가장 많이 방문한 나라가 일본이었다. 거리상 가깝기도 하지만 일본 사람들의 고객 중심 디테일, 이른바 상술에 저절로 빠져들게 되기 때문이다. 일본어를 몰라도 여행하는 데 어려움을 못 느끼는 것도 이런 시스템 때문이다. 오사카 도톤보리에 가서 유명한 라면 가게를 간다고 하자. 메뉴판을 펼치는 순간, 사진으로 다 설명이 되어 있고, 친절하게 '베스트 메뉴'라는 게 씌어 있다. 고민할 필요가 없다. 심지어 한국어 메뉴판도 있고, 한국인이 가장 좋아하는 메뉴라는 글귀도 보인다.

심지어 팁도 음식 가격대별로 적어 놓는 사람들이 일본 사람들이다. 하와이 관광객의 절반 이상이 일본 사람이다. 팁 문화가 없는 한국이나 일본 사람들은 팁을 얼마 주어야 하는지 신경이 많이 쓰인다. 적어도 하와이에서는 고민할 필요가 없다. 하와이에 가서 메뉴판을 펼치면 가격대별로 팁을 얼마 주어야 하는지 엔화로 계산해서 다 표기되어 있다. 외국 나가서 식당에서 불친절한 일을 당해 보면 안다. 이런 것이 얼마나 친절하고 좋은 시스템인지.

도쿄 신주쿠에서 교외 온천 관광지 하코네 유모토로 가는 기차 이름이 '로망스 카'다. 별것 아닌 것 같지만, 이런 특별한 패키지 이름만으로도 특별한 여행을 하는 기분이 난다. 하코네 유모토 역에서 고라, 소운잔, 오와쿠다니 정상까지 하코네 프리패스 티켓을 사서 올라간다. 이 패키지를 안 사면 정상까지 세 번이나 내려서 표를 사야 한다. 홋카이도 삿포로에서 후라노에 있는 '팜 도미타'라는 라벤다 농장으로 간다고 하자, 이곳으로 가는 기차도 '라벤다 익스프레스'라고 이름 붙이고, 여름 성수기에만 한정 운행한다. 여러분이 일본 여행을 한다면, 이 직행 티켓을 사겠는가 아니면, 아사히카와를 경유하는 완행열차를 타서 힘들게 물어물어 가면서 가겠는가? 비싸도 자연스럽게 남들이 대부분 이용하는 이 티켓을 살 수밖에 없을 것이다.

현대인들은 디지털 정보화 사회 속에서 선택지가 이전 사회보다 훨씬 많아졌다. 마케팅 홍수 속 각종 정보가 쏟아지고 있고, 본인이 정보를 검색하는 디지털 기술도 빠른 속도로 발전했다. 그런데 정작 이 많은 선택지가 사람들에게 결정 장애를 유발하기도 한다. 온갖 종류의 많은 선택에 깊게 생각하는 것도 부담이고, 복잡한 것도 싫다. 그래서 사람들은 자신을 대신해서 결정해 주는 디지털 정보에 의존한다. 알고리즘이 내 취향을 저격하고, 맞춤형 제안을 해준다. 이제는 맛집의 맛이 중요한 것이 아니다.

일단 디지털 정보기술이 잡아내지 못하면 1차 접근이 어렵다. 네이버가 '맛집'이라고 검색해주지 않으면 찾아갈 수가 없다. 누가 더 디지털 정보의 선반 위에 잘 보이는 곳에 눈에 띄게 정렬되어 있어서 선택을 받는지가 더 중요해졌다. 예전에는 단골이 있어서, 내 취향과 욕구를 알아서 해결해주기도 하고, 내 욕구에 좀 못 미쳐도 서로 그냥 넘어가기도 했다. 이젠 디지털 정보가 다 알아서 결정해준다.

— 무엇이 행동하게 하는가?

사람들의 마음을 움직여 행동으로 옮기게 만드는 기제를 알 수만 있다면, 최고의 협상가, 마케팅 대가, 사업의 귀재가 될 수 있을 것이다. 인간이란 변화무쌍하고 종잡을 수 없는 면이 있기도 하지만, 관성과 타성에 젖어서 일관된 행동을 하는 경우도 있다. 그 패턴을 읽을 수만 있다면 큰 실패 없이 좋은 결과를 만들 수 있을 것이다.

사람들은 어떤 부분에 있어서는 궤도에서 잘 벗어나지 않는다. 아무 생각 없이 앞 사람의 길을 따라 걷는 것을 편하게 생각한다. 길이란 것도 누군가 걸었던 길을, 뒷사람이 따라 걷고, 이후 여러 사람이 계속 다녀서 생기는 법이니까. 내가 다녔던 대학교 캠퍼스에는 문과대학에서 중앙도서관까지 가는 뒷길을 '다람쥐길'이라 불렀다. 다람쥐를 가끔 볼 정도로 좁은 오솔길이었다. 입학한 지 삼십 년이 지나서 가보니, 그 좁던 다람쥐길이 캠퍼스의 정식 길이 되어서 넓고 번듯하게 조성되어 있었다. 역시 사람들이 많이 다니면 길이 된다.

새로운 일을 시작할 때에는 유사 사례를 제일 먼저 검토한다. 한 번도 시도한 적이 없다고 하면, 고민에 빠진다. 선각자가 될 것인지 포기할 것인지. 앞사람 수레바퀴 자국을 밟지 말라 하거늘, 전철前轍을 밟는 것이 사실 제일 편안하다. 실패하더라도 앞 사람 핑계를 대고, 성공하면 내가 잘 선택한 것이라고 생각하는 것이다. 심리적인 문제이다.

진짜 가난은 타인에 의해
규정당했을 때 생긴다. 나는
가난하다고 생각하지 않았는데,
누군가 이렇게 말한다.

"너는 가난한 사람이야."

가난이 죄가 아니라는 말에
오히려 죄인이 된 느낌이 든다.

뜻밖의 소확행

남을 위한 착한 헌신이나 공동체를 위한
희생 혹은 이타주의적 행위만으로 기부를
'진지하게' 규정했던 시대는 지나갔다.

'간단함, 병맛, 솔직함'.

최근 화제가 되었던 임홍택의 〈90년생이 온다〉에서 이 세대의 특
징을 세 가지로 요약했다. 90년생은 번거로운 것을 싫어한다. 예
를 들어 케이스 바이 케이스는 '케바케', 사람마다의 뜻으로 사람
바이 사람을 줄여서 '사바사'라는 말처럼 줄여서 쓴다. 줄임말을
모르면 말이 통하지 않는다.

'병맛'이란 '맥락 없고 형편없으며 어이없는' 것을 말하는데 한
마디로 B급 재미 요소를 말한다. '병맛'이란 완전무결함에 대한
반항이기도 하고, 청년층의 자기비하일 수도 있다. '솔직함'이란
공정함에 대한 젊은 층의 절규다. 혈연, 학연, 지연을 혐오하고,
'아빠찬스, 엄마찬스'에 분노한다. 이 역시 저성장으로 인한 기회
부족에 의한 결과일 수 있다.

그런데 문제는 모금기관들이 딱 '간단함, 병맛, 솔직함'에 반대되

는 일만 골라서 한다는 것이다. 지금도 모금기관은 지로 모금과 현금 모금을 하고 있다. 요즘처럼 '현금없는 사회'의 간편결제 시대를 맞아 현금을 인출해서 기부하거나 정기기부 자동이체를 해야 하는데 여간 번거로운 게 아니다. 더구나 개인정보보호법에 의해 각종 서명도 해야 한다. 진지하기는 얼마나 진지한가. 나보다는 공동체를 위한 일에 기부해달라면서 '어려운 이웃에게 사랑을', '도움의 손길을 보내주시면 희망을 전하겠다' 등등. 젊은 층의 기부가 줄었다고 말하기보다는 모금기관 스스로 변해야 한다.

젊은 세대라고 해서 무조건 기부에 관심이 없는 것은 아니다. 착한기부 액세서리라는 것이 있다. 1만원 정기 후원하면 의미 있는 반지, 팔찌 등 굿즈Goods를 제공하는 것인데. 굿즈를 얻기 위해 기꺼이 기부한다. 유기견을 위한 후원반지, 공정무역 제품의 커피 마시기, 해결하고 싶은 사회문제에 대한 크라우딩 펀딩 참여하기, 제품을 구매하면서 매출의 일정액을 기부하는 윤리적 소비에도 반응한다. 얼마 전 〈사랑의열매〉는 어느 게임 회사와 구슬 5천만 개를 모으면 기부하겠다는 이벤트를 열었다. 실행 일주일 만에 목표를 달성하는 예상하지 못한 결과를 얻기도 했다.

남을 위한 착한 헌신이나 공동체를 위한 희생 혹은 이타주의적 행위만으로 기부를 '진지하게' 규정했던 시대는 지나갔다. 거창하고 진지하지는 않지만 그저 '개념 소비'로 기부를 생각하는 사람도 늘어난다. 커피 한잔 안 마시는 정도의 의미로 월 5천 원을 정기 기부하는 사람, 포인트나 마일리지로 기부하는 사람이 늘

어난다. 기부는 더이상 특권층만 누리는 행위도 아니고 은혜를
베푸는 식의 동정이나 적선도 아니다. 우리 생활 속에 스며든 자
연스러운 경제활동의 하나가 되었다.

이런 사회의 변화를 보면서 나는 우리 모금기관이 큰손 기부, 과
시적 기부, 시혜적이거나 동정적인 기부에서 벗어날 때가 되었
구나라고 생각했다. 누구나 일상에서 즐겁게 누리는 기부 생활,
간단하고 솔직한 기부. 그런 게 병맛이면 또 어떤가. 뜻밖의 소
확행이 될 수도 있지 않을까.

제5장

모금가 김효진

수영을 배우는
물고기

낮은 자세는 받아들이는 자세이고, 배움의 자세다.
격투기 선수는 경기에 임할 때 꼿꼿하게 선 자세로
있지 않는다. 낮은 자세로 수그려야
공격에 대비할 수 있다.

1987년 6월 민주항쟁으로 학생운동이 절정을 이룬 후 대학가에
는 최루탄 냄새가 서서히 걷히고, 그 틈새에 새로운 물결이 일고
있을 무렵 대학을 다녔다. 1990년 독일 통일과 1991년 페레스트
로이카의 물결 속 구소련의 붕괴 등 학생운동 전환기의 사상적
인 공백과 대학가의 낭만 사이의 방황이 나의 대학생활이었다.
그때 〈퀴즈아카데미〉라는 프로그램에 출연한 적이 있다. 아마도
어떤 객기가 나를 이끌었던 것 같다. 당시 내 모토가 '해놓고 후
회하자'라서, 뒷감당은 생각 안하고 일단 저지른 것이다. 1980년
대 말에서 90년대까지 MBC에서 나름 인기 있던 프로그램으로,
말끔한 셔츠와 면바지를 입은 대학생들이 나와서 문학, 역사, 철
학, 과학 등 지성을 겨뤘다. 데모만 할 것 같았던 대학생들이 퀴
즈를 푸는 모습에서 많은 사람이 신선함을 가졌던 것 같다.

당시 이 프로그램을 만든 주철환 교수에게 직접 들은 말인데, 이
프로의 주 시청층은 대학생이 아니었다고 한다. 젊은 대학생을
보고 좋아하시는 할머니들과 동경하는 꼬마 어린이들이었다고

한다. 그래서인지 '여름사냥', '분열에서 융합으로', '달과 육백 냥' 등 나름 인기를 끄는 팀들도 있었다.

1990년, 나는 사법고시를 준비 중이던 고등학교 동창을 꼬드겨 출연했다. 대학 축제 기간이라 캠퍼스는 들썩거리고 시끄러웠는데, 우리 둘은 자취방에 들어박혀서 상식 공부를 했다. 칼 세이건의 〈코스모스〉나 〈에덴의 용〉의 어느 대목에서 들어봄 직한, '현재는 영원한 미래'라는 매우 현학적이고 설익고, 겉멋 잔뜩 들어간 것으로 팀 이름을 지었다. 내가 지었기 때문에 분명히 기억한다. 친구는 어렵고 길다고 싫어했던 것 같다. 나는 당시 토마스 쿤의 〈과학혁명의 구조〉, 제레미 리프킨의 〈엔트로피〉 등 문과생의 열등감을 떨쳐버리기 위해 과학책에 빠져있던 때였다. 우리는 예선을 1등으로 통과했지만, 6연승을 하던 팀을 결승에서 만나서 요즘 말로 '졌잘싸'했다.

그런데 나는 30년이 지난 지금도 잊지 못하는 것이 하나 있다. 당시 우리와 예선에서 만난 어느 팀의 이름이었다. '수영을 배우는 물고기'. 아나운서가 팀 이름의 의미를 물어보니 그 팀의 여학생이 이렇게 말하는 것이다.

— 물고기는 태어나면서부터 수영을 잘합니다. 그렇지만 물고기가 수영을 배운다는 것은 그만큼 배우는 낮은 자세로 임한다는 것입니다.

어쩌나 똑 부러지게 대답하던지 주눅이 들어서 정작 우리 팀 이름의 의미를 설명할 때는 '어버버'했던 것 같다.

— 수영을 배우는 물고기….

그 말이 오랫동안 마음속에서 떠나지 않았다.

— 삼인행필유아사三人行必有我師

'세 사람이 길을 걸어가면 반드시 그중에 스승이 있다'는 의미다. 논어 술이편述而篇에 있는 글귀다. 한 명은 본인 자신이고, 다른 한 명은 좋은 일을 하는 사람으로, 그에게서 본받을 점이 많아 스승이 된다. 또 다른 한 명은 나쁜 일을 해서 반면교사가 되어 경계하게 되니, 이 또한 배울 점이 있는 스승이 된다. 그러니 반드시 누구에게든 배울 것이 있다는 것이다. 이어서 공자는 '나는 태어나면서 저절로 도를 아는 것이 아니라 옛것을 좋아하고 부지런히 찾아 배워서 알게 되었을 뿐이다'라고 했다.

배우는 자세로 매사 임하면 큰 과오를 줄이게 된다. 배우는 자세란 낮은 자세다. 스승은 늘 교단에 있고, 학생이 낮은 곳에 앉아서 배운다. 호수와 바다는 지표면 중에서 낮은 곳이라 물이 모이는 것처럼, 낮은 자세는 받아들이는 자세이고, 배움의 자세다. 격투기 선수는 경기에 임할 때 꼿꼿하게 선 자세로 있지 않는다. 낮은 자세로 수그려야 공격에 대비할 수 있다. 그러나 사람들은 조금만 어떤 위치에 오르거나 성과를 올리면 배우려 하지 않고, 꼿꼿하게 서서 모든 영광은 자신이 다 한 것처럼 내세운다. 다른 사람의 잘못을 반면교사로 삼지 않고, 비난만 하고 자신의 허물을 보지 못한다. 많이 배우고 똑똑한 사람 중에도 옳고 그름을 구분하지 못하는 사람이 있다. 낮은 지세로 보지 않기 때문이다. 늘 자신이 똑똑하기 때문에 위에서 내려다보니, 나무 위만 보지, 나무 아래 그늘과 땅 위의 낙엽을 보지 못한다. 다른 사람의 말을 수용하지 못하고 다른 사람을 수정하고, 자기 방식으로 고치려고만 한다.

세상사 가만히 들여다보면 성공에는 일정한 법칙이 있는 것 같다. 유한한 능력을 가진 인간이 할 수 있는 일은 고작 2할 정도이고, 낮은 자세와 배우는 자세로 임하면, 선한 기운이 나머지 8할을 채워 비로소 완전한 성공을 이룬다는 점이다. 내 생각이다.

— 수영을 배우는 물고기처럼.

힘 빼고,
내 마음대로 살다가는
더 깊은 함정에 빠진다.
그 함정은 종착역이 아니다.
그 밑에 또 다른 함정을 만난다.

이 길로 가도 힘들고
저 길로 가도 힘들다.
힘 빼고 가면 더 힘들어진다.

작고 사소한 일의 힘

1999년 5월 봄, 실직한 나는 청바지에 가방을 메고
종로3가를 걸었다. 점심을 먹고 사무실로 복귀하는
흰 셔츠의 직장인 무리가 보였다. 그 사람들을 보니
정말 격하게 열심히 일하고 싶어졌다. 다시 기회가
주어진다면 열심히 일하겠노라고 다짐했던 게
기억난다.

1997년 가을 외환 위기가 찾아왔다. 한국의 그 많은 정책당국
자, 경제학자, 금융전문가들도 한국의 위환 위기를 알아채지 못
했다. 나는 그해 미국의 한 대학으로 기부금을 보내는 일을 하고
있었다. 〈사랑의열매〉에서 일하기 전 모 대기업에서 맡았던 내
업무 중의 하나가 회사의 기부금을 외부로 지원하는 일이었다.
참 세상 묘하다. IMF 구제금융이 없었다면, 계속 기부금을 '주는'
일을 했을지도 모른다. 그러나 그 후 〈사랑의열매〉로 직장을 옮
겨서 지금까지 기부금을 '받는' 일을 하고 있다.

1997년 여름, 미국 모 대학교로 기부금을 송금하려는데 환율이
계속 올랐다. 좀 더 지켜보기로 했다. 1달러당 800원이었는데,
얼마 안 가서 1천 원을 돌파하더니 걷잡을 수 없을 정도로 올랐
다. 비정상적으로 폭등했다. 환차손 때문에 도저히 기부금을 보
낼 수 없었다. 회사 선배들과 외환 전문가를 찾아가서 물어봐도
이유를 잘 몰랐다. 나는 뭔가 나라에 큰 변고가 생기고 있다고
생각했다. 나 같은 말단 직원도 조짐을 알았는데, 그 많은 전문

가들이 몰랐다니 지금도 의아하다.

IMF 구제금융을 받은 대가는 혹독했다. 굴지의 기업들이 매일같이 쓰러져 나갔다. 수많은 사람이 직장을 잃고 하루아침에 실업자 신세가 되었다. 나 역시 그때 직장을 잃었다. 내가 잘못한 것도 아닌데, 입사 3년 만에 명예퇴직에 사인을 해야 했다. "효진 씨는 아직 젊잖아, 우리는 딸린 처자식이 있어. 자네가 명예퇴직을 신청해주면 정말 고맙겠네."

회사 선배들이 갑자기 술 한 잔 하자면서 건넨 말이었다. 누가 일을 잘하고 못하고는 중요하지 않았다. 그저 할당된 인원을 잘라내야 했다. 엄혹하고 처참한 시절이었다. 금방 일자리를 찾을 줄 알았지만 그렇지 않았다. 실직 후 3개월이 흐르자 조바심이 났다. 처음에는 타의에 의한 실직을 받아들이기가 힘들었다. 사회로부터 쓸모없다고 버려진 잉여인간이 된 기분이었다.

그렇다고 내가 아주 잘하기만 한 것은 아니라는 생각에 회사에서 보낸 지난날을 돌이켜 보았다. 철저하지 못했던 시간, 대충 일했던 시간, 일거리가 없으면 딴청을 부리던 하루, 그냥 흘려보냈던 시간이 다 떠올랐다. 1999년 5월 봄, 나는 청바지에 가방을 메고 종로3가를 걸었다. 점심을 먹고 사무실로 복귀하는 흰 셔츠의 직장인 무리가 보였다. 그 사람들을 보니 정말 격하게 열심히 일하고 싶어졌다. 다시 기회가 주어진다면 열심히 일하겠노라고 다짐했던 게 기억난다.

— 그 다짐을 하늘에서 들었던 것인가.

사회복지공동모금회에서 일하게 되었다. 잘해야지. 작은 것부터 더 열심히 일해야지.

한국사회에 만연한 '좋은 게 좋은 거다', '뭐 있어? 그냥 대충하는 거지' 하는 식의 일처리들이 모여서 큰 사고를 만든다. 대형 재난재해도 알고 보면 사소하고 작은 일들을 제때 처리하지 못해서 비롯되는 경우가 많다. 세월호 사건도 그렇다. 화물을 제대로 묶어 두어야 한다는 기본적인 안전규칙을 지키지 못해 일어났다. 가스 비용을 줄이겠다고 계량기를 훼손해 대형 화재가 나기도 하며, 화물차의 속도 제한 장치를 풀어 위험천만한 질주를 하다 엄청난 대가를 치르기도 한다. 이 모든 것이 작은 것을 대수롭지 않게 여기는 인간의 안일함에서 비롯되었다.

모금이라는 분야는 까다롭다는 소리를 들을 정도로 세심하게 일을 잘해야 한다. 눈에 보이는 제품을 만들어 소비자의 선택을 받는 일이 아니기 때문에 그냥 열심히 뛰어다니면 되지 않나 싶을 때도 있다. 그러나 반대로 작은 일부터 세심하게 살피지 않으면 큰 사고가 나고, 한번 잃은 신뢰를 되찾는 것은 정말 힘들다. 모금이야말로 크고 대담한 목표를 가지되 그 안에는 치밀하고 세심함이 있어야 신뢰를 얻을 수 있는 분야인 것이다.

혼자만 잘해서도 안 된다. 나는 모금기관들 사이의 관계를 '함흥

함망'이라고 부르는데, '함께 흥하고 함께 망하는' 관계를 뜻한다. 왜냐하면 기부자나 일반 시민들은 사랑의열매 사회복지공동모금회, 구세군, 유니세프, 대한적십자사를 잘 구분하지 못한다. 지금도 대학 선배들을 만나면 '유니세프 잘 다니고 있어?'라고 하거나, 연말에 '구세군 자선냄비 모금이 늘어나면, 사랑의 온도 높아지겠네?'라고 내게 묻는다. 그래서 어느 한 기관이 잘못하면 다 같이 욕 먹고 위기에 빠질 수도 있고, 어느 한 기관이 새로운 일을 개발하면 다 같이 흥할 수 있다.

내가 만난 기부자들은 정리정돈을 생활화하는 사람들이었다. 지극히 단조롭고 평범한 일들이지만, 그렇지 못하면 다음 단계로 넘어갈 수 없기 때문이다. 이런 기부자들은 얼마를 어디에 기부해야 할지 고민을 거듭하다가 결심한 사람들이다. 이런 사람들이 철저하지 못한 사람에게 자신의 돈을 맡길까? 그렇기 때문에 모금이야말로 사소하고 평범한 일을 세심하게 처리할 줄 알아야 한다. 노자께서 말씀하시기를, '큰 나라를 다스리는 것은 작은 물고기를 다루듯이 해야 한다'고 하였다.

마더 테레사 효과.

마더 테레사 수녀처럼
나눔을 실천하는 사람들은
인체의 면역기능이 크게
향상된다는 것.

진정한 지식

사람이 무엇인가를 안다는 건 겉멋이나
겉모습으로 정해지지는 않는 것 같다.
진정한 지식이란 무엇일까?

A는 인맥관리에 많은 공을 들이는 사람이다. 정확하게는 인맥관리 소프트웨어 신봉자다. 나를 안지도 꽤 오래되었는데 어느 날 내 명함을 달라고 했다. 잘 아는 사이에 왜 명함이 필요하냐고 했더니, 자신의 인맥관리 소프트웨어에 내 정보를 수정 등록해야 한다는 것이었다. 그러면서 얼마나 많은 사람이 자신의 시스템에 등록되어 있고, 세세한 정보가 있는지 자랑했다. 그런데 내가 아는 한 A는 그리 사교적인 사람이 아니다. A는 정작 관리하고 있는 사람들을 만나거나 연락을 잘 하지도 않는다. 정보를 입력하고 수정하느라 사람들과 교류할 시간이 없는 것처럼 보였다.

학창 시절 친구 중에는 B라는 녀석이 있었다. 필기도구와 문구 세트를 한 다발 가지고 다니는 녀석이었다. 그의 참고서와 교과서는 색깔별 필기와 정리도표로 빼곡했다. 그런데 정작 그 친구는 공부를 잘하지는 못했다. 정리하느라 공부할 틈이 없다고 했다. 머리에 지식과 정보를 넣고 이해할 시간이 부족한 것이다.

사람 중에는 '알쓸신잡형⁹' 지식인이 있다. 그는 똑똑해서 문화, 역사, 철학을 비롯한 정말 모르는 분야가 없다. 툭 치면 '알피고'처럼 정보를 술술 풀어내는 능력도 좋다. 나는 '알쓸 지식인' C가 대단하다고 생각했다. 그는 책을 낼 정도로 글도 많이 썼다. C와 모 대학 전문 과정을 수강한 적이 있었다. 그런데 어느 날 C가 별일도 아닌 일로 어린 조교 여학생에게 혹독하게 '갑질'하는 것을 보았다. 그 후 한참 지나서 C가 '약자에게 갑질하지 말아야 한다'는 주제로 쓴 칼럼을 읽었는데. 한마디로 '아니다' 싶었다.

여러 사람 앞에서는 소통과 평등을 외치면서도 막상 마주앉아 대화하면 '답은 정해 있으니 너는 대답만 해 (이른바 답정너)'하는 식으로 상대를 자기 방식으로 교정하려는 D라는 사람도 있다. 그런 사람은 항상 자신은 옳고 다른 사람은 틀리다고 생각한다. 자신의 견해와 일치하는 책만 읽고, 정치적 견해가 다른 논조의 신문을 보거나 타인의 견해를 들으려고 하지 않는다. 자신과 견해가 같은 사람만 믿고 타인의 다른 의견을 듣는 귀가 없다.

사람이 무엇인가를 안다는 건 겉멋이나 겉모습으로 정해지지는 않는 것 같다. 진정한 지식이란 무엇일까? 정보만 얻는 게 아니라, 아는 척하다 마는 게 아니라, 자기 삶을 변화로 이끄는 지식이 아닐까.

---

9 '알아두면 쓸데없는 신비한 잡학사전'의 줄임말이다. 케이블방송사 tvN의 TV 프로그램 이름이었다.

가난하고 어려웠던 시절을
극복하고 성공한 후 큰 기부를
결심한 사람들의 공통점:

너무나 어려웠던 시절, 누군가
베풀어주었던 따뜻한 도움,
그 도움 덕분에 희망을 가졌다.

불멸에 대하여

조금 전까지 생생하게 이야기를 나누던 사람이
갑자기 죽기보다는, 나이가 들면서 흰머리가
생기고, 여기저기 차차 아프기 시작하는 게
낫지 않을까? 죽음을 받아들일 준비를 하라는
신의 신호 같은 것이다.

— 오늘은 나에게, 내일은 너에게 (Hodie mihi, cras tibi)

로마 공동묘지 입구에 새겨진 문장이다. 오늘은 내가 관이 되어 들어왔고, 내일은 네가 관이 되어 들어 올 것이니 타인의 죽음을 통해 자신이 죽음을 생각하라는 뜻의 문구다. 한동일의 〈라틴어 수업〉이라는 책에서 가장 인상에 남는 대목이었다. 이 책에서 저자는 "인간이라는 존재는 영원으로부터 와서 유한을 살다 다시 영원으로 돌아간다."고 했다. 그런데 인간은 마치 영원을 사는 것처럼, 죽음이 없는 것처럼 오늘을 산다. 누구나 죽는다는 사실을 알지만, 자신의 죽음을 인정하는 사람이 과연 얼마나 있을까? 자신이 소멸한다는 것을 받아 들일 수 있을까? 나카하라 삿포로 할아버지[10]는 혼자 사는 자신이 언제 죽을지 모르니 정신이 온전했을 때 기부한다고 말했고, 그것을 실천했다.

---

10 제1장 〈불멸의 삿포로 할아버지 청년〉에 나오는 그 할아버지다.

아버지가 암으로 돌아가셨을 때, 나는 왜 질병과 노화가 있고, 어째서 죽음이 있는지 곰곰이 생각해 본 적이 있다. 플라톤이 말한 것처럼 인생의 목표가 죽음을 연습하는 일일까? 아, 모르겠다. 사람이 다 죽는 것에는 그만한 이유가 있겠지. 이렇게 결론을 내리자. 만약 질병과 노화가 없다면 우리는 느닷없이 엄습하는 '젊은 죽음'과 함께할 텐데, 이것이 더 끔찍하다. 어제까지 멀쩡하던 사랑하는 사람이 갑자기 죽어야 하니까. 조금 전까지 생생하게 이야기를 나누던 사람이 갑자기 죽기보다는, 나이가 들면서 흰머리가 생기고, 여기저기 차차 아프기 시작하는 게 낫지 않을까? 죽음을 받아들일 준비를 하라는 신의 신호 같은 것이다. 신이 죽음을 받아들이라고 신호를 보내는 것이다. 죽는 당사자가 순순히 받아들이지는 못해도 주위의 가족과 친구들이 그 죽음을 받아들일 마음의 준비를 할 수 있다.

아버지가 아프셨을 때 나는 셀리 케이건Shelly Kagan의 〈죽음이란 무엇인가〉를 읽었다. "사실 어느 누구도 자신의 죽음을 믿지 않는다. 우리 모두는 무의식 속에서 자신의 불멸을 확신하고 있다."는 문장을 읽으면서 '불멸'에 대해 생각했다. 유한한 인간이 죽지 않고 영원한 '불멸'의 존재가 되는 방법은 무엇일까도 생각해 봤다. 불로초는 불가능하겠지. 신체는 죽는다. 그런데 내게 삿포로 할아버지 나카하라, 한국이름 강대욱은 여전히 살아 있다.

― 의미 있고, 가치 있는 삶, 그것이야말로 불멸이 아닐까.

"이제는 개천에서 용이 날 수
없는 건가요?" 큰 기부를 결정한
사람의 질문이었다.

그래서

'개용 프로젝트'가 탄생했다.
개천에서 용 나기 프로젝트.
어려운 가운데서도 정말 어려운
가정의 아이들을 돕는 프로젝트.

웰다잉과 웰기빙

건강하고 좋은 삶을 가리켜 사람들은 '웰빙'이라고
말한다. 존엄하고 아름다운 죽음은 '웰다잉'이다.
그렇다면 본인과 다음 세대를 위한 유산기부를
'웰기빙'이라고 말할 수 있지 않을까.

옥탑방 할머니[11]의 뜻깊은 마음이 큰 변화를 만들었다. 〈사랑의 열매〉는 용기를 얻어 '세상에서 가장 아름다운 약속'이라는 슬로건으로 한 〈행복한 유산기부 캠페인〉을 시작했다. 2013년에는 〈레거시 클럽〉으로 확대했다.

유산기부를 실천한 기부자에게 물었다. 어째서 유산기부에 동참하느냐고. 다음과 같이 답했다.

— 번 돈 잘 쓰고 가고 싶어서.
— 자녀에게 좋은 뒷모습을 남기고 싶어서.
— 감사하는 마음을 일깨워주고, 자신에게 도움을 준 사람들을 위해서.

아직 우리나라의 유산기부 성적은 좋지 못하다. 이제 시작이니

---

11 제1장 〈옥탑방 할머니 김춘희〉 편의 그 할머니이다.

까. 2018년 연구결과에 따르면, 미국은 전체 기부금 약 500조 원의 8%인 약 40조 원이 유산기부라고 한다. 영국은 전체 기부금 약 13조 원의 33%인 약 3조 원이 유산기부다. 우리나라는? 전체 기부금 12조 9천억 원의 0.5% 정도. 이것도 어림수이지 피부로 느끼는 것은 더 적을 거라고 생각한다. 이제 시작이니까.

건강하고 좋은 삶을 가리켜 사람들은 '웰빙'이라고 말한다. 존엄하고 아름다운 죽음은 '웰다잉'이다. 그렇다면 본인과 다음 세대를 위한 유산기부를 '웰기빙'이라고 말할 수 있지 않을까. 유산기부는 다음 세대에게 돈이 아니라 '좋은 마음'이라는 더 큰 자산을 물려준다.

사랑은 타이밍이다.
사랑한다고 해야 할 때 못하면
그 사랑은 떠나가고
있어야 할 때 없어도
그 사랑은 떠나간다.

이름에 대하여

나는 수많은 익명 기부자들을 접하면서
'익명'일지라도 내게 와서 꽃이 되는 체험을 했다.
이름을 감추어도 의미 있는 존재가 된다는 것을
익명 기부자들을 통해 배운 것이다.

인간에게 이름은 바로 존재를 뜻한다. 유한한 인간이 이 세상에 불멸로 남는 것은 이름 때문이다. 수천 년 전의 대서사시 〈일리아스〉와 〈오디세이아〉에 나오는 '아킬레우스, 아가멤논, 오디세우스'도 호메로스가 이름 붙인 덕분에 21세기까지 불멸의 전설로 살아남았다.

그러나 인간은 가끔 이름을 잃는다. 죄를 지으면 이름을 잃는다. 수형번호 1989번, 9876번으로 불린다. 죄를 지은 사람에게 숫자를 붙임으로써 존재가치에 모욕을 준다. 코로나19 확진자들도 번호로 불렸다. 전국 31번 확진자와 용인 66번 확진자는 N차 감염을 폭증시켜 많은 사람들의 비난을 받았다. 만 명이 넘는 사람 중에 이 사람들의 번호는 오래도록 기억날 것이다. 디지털 성착취물을 사고팔았던 '텔레그램 n번방 사건'은 국민적 공분을 샀다. 누구인지 특정할 수 없도록 익명성 기능을 극대화한 텔레그램과 다크웹 등을 기반으로 이름을 숨기고 범행을 저질렀다. 익명의 가면 뒤에서 존재를 감춘 것이다.

한 교실에 70명이 공부하던 내 학창시절이 생각난다. 당시 선생님들은 학생들을 번호로 불렀다. 만약 15일이면, 5번, 15번, 25번, 35번, 45번, 65번은 긴장해야 했다. 선생님들은 그 날짜 관련 번호의 학생을 불러서 질문에 대답하게 하거나 뭔가를 시켰다.

나는 가끔 우리말과 영어 발음이 비슷한 경우가 있다는 것에 신기해 한다. '텔레그램 n번방 사건'의 '박사, 이기야, 갓갓, 부따' 같은 '닉네임'을 보면서 닉네임의 '닉nick'과 숨길 '닉匿'이 비슷하구나 라는 생각을 해 본 것이다.

이름을 숨기는 건 얼굴을 숨기는 것과 같다. 이름을 감추면 얼굴이 사라진다. 이름이 밝혀지면 카메라 셔터 소리와 함께 얼굴이 나타난다. 나쁜 의도 혹은 나쁜 일로 자기 진짜 이름이 가려진 사람들을 보면서 인간의 존재 가치라 무엇인가라는 무거운 생각에 다시 젖는다.

명심보감 성심편에는 이런 글귀가 있다.

— 천불생무록지인, 지불장무명지초天不生無祿之人, 地不長無名之草

뜻을 풀어놓으면, "하늘은 녹祿이 없는 사람을 내지 않고, 땅은 이름 없는 풀을 기르지 않는다."'는 뜻이다. 여기서 녹祿이란 자기가 받는 복이나 몫을 뜻한다. 세상에 태어난 모든 사람, 풀 한

포기마저 다 쓰임새와 존재성이 있다는 가르침이다.

미나리아재비, 금꿩의다리, 노랑무늬붓꽃, 노루오줌, 눈개쑥부
쟁이. 나는 순우리말 꽃 이름을 들을 때마다 참 예쁘고 개성 있
다는 생각이 든다. '노루오줌'이라는 식물은 실제 노루오줌처럼
생겼을 것 같다. 물론 노루오줌을 본 적은 없지만… 들에 핀 작
은 꽃도 저마다 이름이 있다. '꽃 이름'이라고 하면 한국의 대표
적인 명시가 생각난다. 많은 이의 사랑을 받는 김춘수 시인의 〈꽃〉.

내가 그의 이름을 불러주기 전에는
그는 다만 하나의 몸짓에 지나지 않았다.
내가 그의 이름을 불러주었을 때,
그는 나에게로 와서 꽃이 되었다.

나는 수많은 익명 기부자들을 접하면서 '익명'일지라도 내게 와
서 꽃이 되는 체험을 했다. 이름을 감추어도 의미 있는 존재가
된다는 것을 익명 기부자들을 통해 배운 것이다. 그런데 '기부<sub>寄
附</sub>'가 영어 'Give'와 발음이 비슷하다. 기부는 존재를 '주는' 행위
가 아닐까.

한 번도 해보지
않은 일 해보기

똑같은 일상 같지만 내가 사는 오늘은 평생 한 번도
살아본 적이 없는 하루였으니까.
그저 그날의 새로움을 발견하기만 하면 된다.

— 100가지 평생 한 번도 해보지 않았던 일 해보기

2012년 9월 20일이었다. 페이스북에서 새로운 도전을 선언했다. 백 가지 새로운 일을 해보겠다고. 실은 과제였다. 거창한 건 아니었다. 이 도전에는 조건이 있었는데, 새로운 일이면서 동시에 적절해야 한다는 것. 예를 들어 남의 물건을 훔치거나 일부러 사고를 내는 것은 안 된다. 당시 다는 〈창의성아카데미〉 과정을 교육받고 있었다. 담당 교수님이 낸 과제가 바로 그런 거였다.

첫 번째 도전은 엘리베이터, 에스컬레이터를 하루 종일 이용 안하기였다. 첫 번째 도전에서 깨달은 것은 집에서 나올 때 아파트에서 내려오고, 지하철 타느라 내려오고, 사무실 도착 지점인 광화문역에서는 지하철에서 올라오고, 사무실로 올라온다는 것이다. 내려가면 언젠가 올라가고, 올라가면 언젠가 내려가야 한다는 사실. 인생은 거저 얻는 게 하나 없다. 편하려면 고생해야 하고, 좋은 것은 먼저 나쁜 것을 겪어야만 한다.

이 도전에는 별의 별것이 다 있었다. 왼손으로 양치질하기, 하루 세 끼 똑같은 메뉴 먹기, 1시간 안에 집안 일 3종 세트 해치우기, 찬물로 샤워하기, 한 번도 말 안 걸어본 직장 후배 밥 사주기, 부서 직원 다 휴가 보내고 혼자 일하기, 내게 편지를 쓰고 우표 부쳐 보내기, 손톱에 매니큐어 질하기, 새로운 교통편이나 길로 출근하기 등 100가지 프로젝트를 완수했다. 이 프로젝트는 2012년 9월 20일에 시작해서 그해 12월 31일에 끝났다. 덕분에 페이스북 친구가 엄청 늘어나기도 했다.

마지막 도전은 한강 다리를 걸어서 출근하기였다. 이날은 한파 특보가 발령되고 하필 영하 13도의 강추위가 기승을 부린 날이었다. 마포대교 남단까지는 택시를 탔다. 그다음 걸어가기 시작했다. 입에서 김이 '용가리'처럼 나왔다. 아침 7시 15분. 아직 해가 뜨지 않았다. 나를 이상한 눈으로 바라보는 경찰을 뒤로하고 씩씩하게 앞으로 전진. 매서운 한강 칼바람이 볼을 때리고, 눈과 얼음으로 울퉁불퉁한 길에 발걸음을 옮길 때마다 서걱서걱 소리가 났다. 지금 생각해도 제 정신은 아니다. 다리 난간에서 이런 문구를 봤다.

— 혼자가 아닙니다. 다시 생각해보세요. 생명은 소중한 거예요. 가족과 친구에게 전화하세요.

자살예방 문구였다. 그곳에 가까이 갈 무렵 자동으로 불이 켜지더니만 그 문구가 나타난 것이다. 그때 63빌딩 저 너머로 2012년 마지막 아침 해가 솟아올랐다. 이런 생각이 들었다. "삶이란 분명 힘들고 거친 길이다. 그러나 그 길이 우리 앞에 놓인 한 우리는 전진해야 한다. 가다 보면 다시 돌아갈 수도 없고, 앞으로 나가기 힘든 고비가 온다. 그럼에도 우리 앞에 길이 있고, 그 길을 가야 한다."

한 후배가 어떻게 새로운 일을 백 가지나 짧은 기간 안에 할 수 있었느냐고 물었다. 처음에는 뭔가를 생각하고 거기에 맞추었다. '내일은 무엇을 하고, 다음은 무엇을 해야지' 이렇게 정해서 움직였다. 그렇게 하려니 날마다 눈 뜨는 것이 두려워졌다. 새로운 아이디어는 고갈되어 가고, 하루하루 일하기도 힘든데, 이런 걸 왜 공개해서 스스로 고통받는지 자책하기도 했다. 안경 안 쓰고 하루 살아볼까?, 무작정 휴가 내고 동해 바다에 입수해 볼까 하는 무모한 상상도 해봤다. 그런데 얼마 지나고 보니, 굳이 아이디어를 낼 필요가 없다는 것을 깨달았다.

— 똑같은 일상 같지만 내가 사는 오늘은 평생 한 번도 살아본 적이 없는 하루였으니까. 그저 그날의 새로움을 발견하기만 하면 된다.

부자가 되는 비결

내가 만난 부자들은 이구동성으로 그동안 자기가
번 돈은 자기 것이 아니라고 말한다. 직원과 사회가
벌어준 것이니 욕심을 내지 않고 사회에 돌려주는
것이 당연하다는 것이다. 아울러 돈을 버는 것보다
사람을 얻는 게 더 소중함을 강조하였다.
어쩌면 그게 부자가 되는 비결일지도 모르겠다.

아이들의 장래희망 일 순위가 대통령이나 과학자가 아닌지 오래다. 요즘에는 연예인, 유튜버 등 인기 스타가 되거나 건물주가 되는 것이 일 순위다. 자본주의의 달콤함은 어른들보다 아이들에게 더 빨리 스며드나 보다. 어른들은 이제 슬슬 포기하기 시작하는데. 아이들은 안 그렇다. 어떤 아빠가 좋은 아빠냐고 물으면, 아마도 요즘 아이들에게 냉정한 대답을 듣게 될 가능성이 높다. 아이돌 스타를 좋아하는 자녀들에게 물어보자. "아빠도 차은우처럼 잘 생기면 더 좋겠지?" 그러면 아마도 "아빠가 잘 생길 필요가 있어? 돈만 많이 벌면 되지."라고 답할지도 모르겠다. 부자가 되어서 무엇을 할 것인가는 없고, 일단 부자가 되겠다는 욕망만 가득 차 있다. 아이들을 탓할 수만은 없다. 토요일 복권방을 가보라. 우리 역시 그 꿈을 포기하는 척했을 뿐이다.

모금을 하다 보면 부자들을 많이 만난다.

자연스럽게 질문이 많이 생긴다. 어떻게 부자가 되었고, 부에 대해 어떤 생각을 갖고 있는지 궁금해졌다. 〈아너 소사이어티〉 회원 중에는 아이들이 되고 싶은 인기 스타나 건물주 님도 많다. 개인적으로 〈아너 소사이어티〉 회원을 만나면서 인생의 의미에 대해 많은 것을 배울 수 있었다. 개개인마다 너무나 다르지만, 어떤 면에서는 공통점을 가지고 있다. 자수성가한 기업인은 대부분 가난과 고난을 이겨내고 근면성실함으로 자신만의 기술력을 가지고 사업을 일군 사람들이었다. 한 사람 한 사람의 스토리가 대하 소설감들이다. 나는 '어떻게 해서 부자가 되었나요?'라는 질문을 했다. 뭔가 특별한 비결을 기대했다. 그런데 실망스럽게도 한 결 같이 돌아온 대답은 '난 그렇게 부자는 아니다. 열심히 하다 보니 그렇게 되었다'라고 한다. 어떤 분은 돈 귀신이 있는데, 그 집 현관문에 놓인 신발을 보고, 가지런하면 들러붙고, 어지러우면 달아난다는 것이다. 돈 귀신을 꽉 붙들어야 부자가 된단다.

— 하! 역시 부자 비결을 쉽게 말해줄 리가 없다.

그러나 어떤 역경을 딛고 사업을 일구었는지 이야기할 때에는 눈빛이 반짝였다. 그들은 자신에 대해서는 엄격한 잣대를 가지고 있었다. 형편이 조금 나아져서 기부하는 것이지 돈이 차고 넘쳐서 하는 것은 아니라고 한다. 돈 이야기할 때는 특히 조심하는 것 같았다. 그래서 나는 내가 만난 부자들을 분석해 봤다. 사람마다 각기 다른 대답을 했지만 공통적인 부분이 있었다. 근면, 검소, 신뢰, 상호 이익, 한 우물 파기다. 듣고 보면 특이한 비결도 아니고 우리가 다 아는 것들이다. 그러나 다른 점은 이것을 실천한다는 것이다.

— 우선, 근면함.

자수성가한 사람들의 근면성실함은 누구도 따라올 수 없다. 일찍 일어나고 부지런하게 일하는 것은 오래된 습관이다. 중동에서 배추농장을 일구어 큰돈을 번 어느 농업법인 회장은 지금도 가장 먼저 출근해서 자기 사무실 방 청소를 직접 한다. 창고 사업을 하는 모 회장은 새벽에 출근하고 칠순이 넘어서도 직원들과 달리기를 하고 일을 시작한다. 그리고 대체로 검소한 편이다.

— 검소함.

지갑에 그 흔한 신용카드 한 장 없는 사람도 있다. 이유를 물어보니 돈 나가는 것을 봐야 돈 아까운지 안다며 카드를 아예 없앴고 현금만 쓴다고 한다. 그분한테 6천 원짜리 점심을 얻어먹었는데, 열 번 먹으면 한 번이 공짜라면서 쿠폰 도장을 받는 것을 잊지 않았다. 양복 한 벌로 사계절을 보내고, 신문지 전단을 오려서 메모지로 사용하는 사람도 있다. 조그만 사무실에 화분이 많아서, 화초에는 돈을 아까워하지 않구나 싶었는데, 길에서 다 주워 온 것들이라고 한다. 어려웠을 때를 생각해 자신에게는 엄격하지만 다른 사람에게 나누어 주는 데 인색하지 않은 부자들이다. 이런 분들한테 1억 원을 기부를 받는 것이니 솔직히 부담감이 커질 때가 있다.

— 신뢰.

또한 부자들은 신뢰를 가장 중요하게 생각한다. 얕은 수를 써서 돈을 벌 수도 있고, 다른 사람을 속이면서까지 단기 차익을 얻을 수도 있지만, 결국은 손해를 본다는 것이다. 사업을 하다 보면 어려울 때가 많은데, 그럴 때마다 신뢰를 저버리는 유혹에 빠지기 쉽다는 것이다. 그러나 그럴 때에도 신뢰를 지키면 어려울 때 다른 사람들이 도와준다고 말하는 부자도 있었다. 회사가 어려워졌을 때 직원들이 발 벗고 나서서 위기를 이겨낼 수 있었다고 한다. 이런 분들과 '언젠가 한 번 밥 먹어요'하는 겉치레 인사를 하면 안 된다. 다음날 약속 잡자고 전화가 바로 온다.

— 다음으로 상호 이익.

이것을 잘 생각하면 돈을 벌 수 있다고 한다. 보통 사람들은 나한테 생길 이익을 먼저 생각한다. 자본주의 사회에서 남 생각만 하면 사업을 못할 것 같은데 정반대다. 항상 본인을 찾아주는 사람한테 무언가 더 줄 게 없을까 고민한다고 한다. "머리끝까지 해서 이익을 낼 수는 있지만, 그러면 그 사업 오래 못 간다. 어깨 정도의 이익에서 그만둔다. 사람을 얻어야 나중에 이익이 되어 돌아온다."고 말하는 부자도 있었다.

— 마지막으로 한 우물 파기.

그들 대부분 사업을 할 때 '한 우물 파기'를 한다. 대부분 특화된 기술을 가진 강소기업이었다. 어떤 분은 70년대 양복 디자이너였는데 방호복을 디자인해 달라는 주문을 받고, 우리나라에 보호 장구 산업이 전혀 없다는 것을 알게 되었다고 한다. 그 후로 방독면, 산소통 등 안전보호구만을 개발해, 지금은 이 분야 최고의 기업이 되었다. 기술력을 가져야 살아남을 수 있다는 생각에 다른 것은 쳐다보지 않고, 연구에 매진해 최고의 제품을 생산할 수 있게 되었다고 한다. 기부자들과 사업 이야기에 한번 빠지면 다음 약속을 못 지킬 수 있다. 이야기가 엄청 길어질 수 있기 때문이다.

부자가 되는 비결을 답안지처럼 이야기 해봤다. 하지만 부자가 되는 건 마치 답안지는 있고, 문제지는 없는 것과 같다. 답은 알고 있지만, 우리가 처한 문제가 다 다르기 때문이다. 또한 답안지에 적힌 모범 답안을 실천하지 않기 때문에 부자가 될 수 없는 것이기도 하겠지. 우리들이야 부자가 되는 것에 관심이 있지만, 내가 만난 부자들은 이구동성으로 그동안 자기가 번 돈은 자기 것이 아니라고 말한다. 직원과 사회가 벌어준 것이니 욕심을 내지 않고 사회에 돌려주는 것이 당연하다는 것이다. 아울러 돈을 버는 것보다 사람을 얻는 게 더 소중함을 강조하였다. 어쩌면 그게 부자가 되는 비결일지도 모르겠다.

문제없는 것만
하는 사회

나는 조직에서 가장 해악을 끼치는 사람을
'문제없는 것만 골라서 하는 사람'이라고 생각한다.
문제를 일으키지 않기 때문에 얼핏 보면
모범생 같지만,

— 그는 조직을 쇠락하게 만드는 주범이다.

언젠가 삼성에서 '소프트웨어 경쟁력 백서'라는 20분짜리 프로그램을 사내 방송으로 내보냈다는 기사를 보았다. '30층 건물을 지어야 하는데 삼성의 소프트웨어 역량은 초가집 짓는 수준'이라며, '불편한 진실', '우리의 민낯'이라는 제목으로 통렬한 자기비판이었다. 그나마 세계적인 기업 삼성이니 이런 자기비판도 할 수 있다는 생각을 했다. 원래 강자들은 엄살이 심하다.

빌 게이츠는 마이크로소프트사가 늘 파산과 18개월 정도의 거리를 두고 있다고 생각하면서 사업을 했다고 한다. 그러나 한 번도 파산 위기에 몰린 적도 없다. 늘 '끄떡없다'고 외치던 기업들이 나가떨어졌다. 프로야구 새로운 시즌 기자회견 때도 강팀 감독들은 '우리 팀은 우승 전력이 아니다'라고 해놓고, 올해가 우승의 적기네, 대권 도전한다고 큰소리치던 팀들을 모조리 깨부순다. 솔직히 이럴 때는 좀 얄밉다. 내가 응원하는 팀은 늘 봄에는 우승할 것 같은데, 매번 저런 '겸손한' 팀한테 연패를 당한다.

현재 우리나라의 정부, 기업, 민간 등 모든 조직이 답보 상태에 놓인 것만 같다. 요즈음 세계 최초로 무엇을 개발했다는 소식도 없고, 혁신적인 정책으로 사회문제를 해결하거나 성장 동력을 찾았다는 말도 없다. 저성장시대에 불확실성이 크기 때문에 '새로운 것', '도전석인 것'을 시노하기보다는 현실에 안주하려는 것 같다. 하루 빨리 한국기업이 코로나19 치료제나 백신을 개발했다는 소식을 듣고 싶다.

최근 SNS를 통해 1952년 한국전쟁 중에 미국 종군기자가 촬영한 한국의 모습을 보았다. 사진에서 본 한국은 지금 내가 사는 나라가 맞는지 의심스러울 정도로 황폐했다. 전쟁으로 폐허가 된 산야와 허름한 옷차림의 볕에 그을린 사람들, 두려움과 신기한 눈초리로 미군을 바라보던 어린이들이 있었다. 그 사진 속 어린이들은 지금 노인이 되었다. 그사이 우리나라는 그야말로 괄목상대할 만한 발전을 이루었다. 두려움을 이겨내고 희생을 감수하고, 인내를 가진 아버지 세대의 노력이 있었기에 보다 나은 나라를 물려줄 수 있었다. 이제 우리는 다음 세대에게 어떤 나라를 물려줄 수 있을까?

무엇이든 새로운 시도를 할 때 부정적인 벽에 부딪치게 마련이다. 세종대왕이 한글을 창제할 때 무수히 많은 유생이 반대했고, 경부고속도로를 건설할 때도 많은 이가 반대했으며, 삼성이 반도체 산업에 뛰어들 때도 경제성이 없다며 많은 사람이 반대했다. 물론 반대한 사람들의 주장에는 옳은 점이 있다. 새로운 일은 불확실한 리스크를 가지고 있기 때문이다. 그러나 우리가 문제없는 것만 골라서 하다보면 발전할 수가 없다.

〈사랑의열매〉도 20년 전 처음 〈사랑의 온도탑〉을 선보였을 때 보여주기 식 전시 행정이다, 서울에서나 할 수 있지 지역에서는 어렵다는 등 주변에서 많은 이유를 들어서 반대했다. 2007년 개인 고액기부 프로그램인 〈아너 소사이어티〉를 처음 만들 때도 한국에는 고액기부가 자리 잡을 수 없다며 반대하는 목소리가 나왔다. 1억 원 이상 기부하는 사람이 8년간 겨우 8명인데, 그 누가 1억 원 이상 기부하겠느냐는 것이다. 미국 공동모금회의 토크빌 소사이어티도 1만 불(약 1천만 원)이 고액기부 기준인데 불가능하다는 것이다.

동서고금을 막론하고 어디에서든 늘 반대만 하는 사람은 반드시 있다. 특히 의사결정그룹에 있는 사람 중에 반대만 하는 사람이 많은 편이다. 그들은 이른바 '문제없는 것만 골라서 하는 사람'인데, 이런 사람이 조직에서 살아남을 확률이 생각보다 높다. 리스크를 감수하고 혁신에 몸을 내던진 사람은 성공하지 못할 경우 바로 아웃이다.

— 중구삭금衆口鑠金

여러 사람의 말은 쇠도 녹인다는 뜻이다. 성공했다고 해도 시샘하는 사람들의 여러 입에 녹아내리고 만다.

문제없는 것만 골라서 하는 사람은 항상 윗사람의 의중에만 관심이 있다 보니 지적받을 일이 별로 없다. 시간이 지나다 보면, 또는 운이 좋아 경쟁자가 없다 보면, 나중에는 저절로 높은 자리에 오르게 된다. 그런 사람에게 새로운 도전이란 위험 그 자체일 뿐이다. 위험이 따르기 때문에 조금이라도 불확실한 요소가 있거나, 성공확률이 낮다고 생각했을 때는 무조건 하지 않으려고만 한다. '내가 있는 동안 아무런 일만 없으면 된다'는 식이다. 이런 사람에게 새로운 도전 아이디어는 격려할 일이 아니라 미친 짓으로 보일 것이다. 그러니 그 밑에 있는 직원들이 알아서 아이디어를 내거나 사고를 칠 생각을 안 한다. 리더 주변에는 새로운 시도와 도전을 하고 무엇인가 만들어 내는 사람보다 그럴듯하게 보고만 잘하는 참모가 모인다.

최근 한국의 승자독식 문화와 지나친 단기 성과주의에 신물이 난다며 적지 않은 우리나라 인재들이 외국으로 뜬다고 한다. 한 외국인 교수는 '한국은 마음에 들지만, 한국 학계가 너무 낙후돼 있어, 나도 같이 도태될까봐 견디기 어려웠다'며 본국으로 돌아가 버렸다고 한다. 성장 동력의 엔진이 식어가고 있는데, 도대체 무엇을 하고 있는 것일까?

나는 조직에서 가장 해악을 끼치는 사람을 '문제없는 것만 골라서 하는 사람'이라고 생각한다. 문제를 일으키지 않기 때문에 얼핏 보면 모범생 같지만,

― 그는 조직을 쇠락하게 만드는 주범이다.

눈이 위로만 달려 있어서 연줄과 권위, 탐욕만 있고, 자기를 따르는 세력과 영향력을 만드는 것에만 관심이 있는 사람이다. 잭 웰치 전 GE 회장은 제일 높은 사람에게만 관심을 받으려고 고개를 들다보면, 모든 조직원이 엉덩이를 고객에게 돌리는 조직이 된다고 했다.

리더의 위치에 있을수록 수용적이고 유연한 자세로 낮은 곳, 어두운 곳, 생각하지 못한 곳에서 창의적 기회를 발견할 수 있어야 한다. 새로운 기회를 보는 눈, 위험을 감당할 용기 그리고 성공할 때까지 기다릴 줄 아는 인내를 가진 참다운 리더가 대한민국의 책임 있는 자리에 있기를 바란다.

갈등의 산맥을 넘어

그러므로 사람들의 마음을 잇는 다리도 놓고,
터널도 뚫어야 한다. 무엇이든 혼자만 똑똑하다고
해서 모든 것을 해결할 수 없는 시대이기도 하니까.

루마니아를 간 적이 있다. 동유럽에 있는 아름다운 나라 루마니아 풍광 중 가장 잊지 못하는 것은 드넓은 밀밭이었다. 수도인 부쿠레슈티에서 동쪽으로 200km 떨어진 흑해 연안 도시 콘스탄차까지 고속도로로 2시간 정도 가는데, 그 사이에 산이 하나도 없었다. 드넓다는 말로는 부족했다. 광활한 밀밭의 물결은 마치 황금빛 호수 위를 미끄러져 가는 것 같았다. 유럽 빵의 상당 부분은 루마니아 밀에 신세를 지고 있다고 하니, 어마어마한 넓이의 밀밭이라고 할 수 있다.

그것보다 더 넓은 몽골 대평원이나 케냐 암보셀리 공원의 대자연을 보면 그 모습과 기분을 말로 형언할 수 없다. 인간의 시야로는 한 번에 들어오지 않는, 태고의 광활함이 주는 벅찬 감동에 빠진다. 산이 없는 평야는 특히 우리 한국 사람에게 이국적인 풍광과 감동을 준다. 눈만 뜨면 사방 어디에서도 산이 보이는 곳에서 사는 한국인에게 산이란 친근하면서도 때로는 너무 식상한 풍경이다.

지금은 기술이 발달해서 산으로 아무리 가로막혀 있어도 터널
도 뚫고 교량도 놓는다. 길을 만들지 못하는 곳이 없다. 우리나
라 고속도로 중 비교적 뒤늦게 완공된 중앙고속도로를 보면 알
수 있다. 충북 단양과 경북 영주 사이 산과 산을 잇는 교량과 한
때 동양에서 가장 긴 터널길이를 자랑했던 죽령터널을 지나노라
면, 인간에게 불가능은 없다는 생각이 든다. 조선시대 영남지
방에서 한양을 가기 위해서는 반드시 이 소백산을 넘어야 했다.
문경새재에 가면 '옛날 과거시험 보러 가는 길'이라는 친절한 푯
말도 있다. 영남嶺南이라는 지명도 죽령竹嶺과 조령鳥嶺의 남쪽 지방
이라는 데서 나왔다. 진짜 이 길이 아니라면 그 험준한 소백산을
넘을 길이 없었을 것 같다.

기술이 부족했던 시절에는, 자연적인 지형에 따라 생태학적인
환경과 문화적 환경도 크게 나누어졌다. 다른 나라도 마찬가지
다. 칠레는 안데스산맥, 베트남은 안남산맥 때문에 남북이 긴 형
태의 나라가 되었다. 큰 산에 의해 문화가 나누어진다는 것이 보
편적인 현상임을 알 수 있다. 지형에 의한 나누어짐은 생각보다
참 질기고 오래간다. 마한, 변한, 진한과 고구려, 백제, 신라 등,
삼국시대부터 이어온 한국사회의 나누어짐은 지금도 영향을 미
치는 듯 선거 결과를 보면 정당별로 색깔이 동서로 뚜렷하게 나
뉜다.

비행기를 타고 김해를 간 일이 있었다. 비행기 아래에서 본 우리
나라는 산과 산 사이 조금이라도 평지 공간이 생기면 빼곡하게

촌락과 도시가 형성되어 있었다. 국토의 산들이 모두 평평한 평야였다면, 우리의 삶이 더 윤택하고 행복하지 않았을까. 만약 한반도가 모두 평야지대였다면 식량생산이 폭발적으로 증가하고 통일국가를 오래도록 유지해서 지금보다 더 강대국이 되지 않았을까 하는 상상을 해봤다.

그러나 제레드 다이아몬드Jared Mason Diamond의 〈총 · 균 · 쇠〉라는 책을 읽고, 이런 생각을 단번에 접었다. 나는 귀가 얇은 편이어서…. 인류 역사에 대한 통찰력을 제시한 이 한 권의 책은 왜 문명이 먼저 발달한 동아시아가 유럽에 패권을 내주었는지에 대해 나름 명쾌한 해석을 했다. 중국의 만성적인 통일과 유럽의 만성적인 분열은 지형에서 비롯되었다는 것이다. 유럽의 해안선은 섬에 버금갈 만큼 고립되어 있는 이탈리아 반도, 이베리아 반도, 발칸 반도, 스칸디나비아 반도 등과 같은 반도들이 많고, 영국과 같은 큰 섬, 알프스 산맥, 피레네 산맥 등 많은 산들로 인해 각기 독립적인 언어와 고유한 문화가 발달할 수 있었다는 것이다. 반면 동아시아는 한반도와 일본을 제외하고, 중국은 하나의 완만한 해안선으로 인해 항상 통일국가를 유지했다는 것이다. 평야지대는 만성적으로 통일을 이루기 쉽다. 그러나 이런 게 오히려 불이익이 되었다. 한 폭군에 의해 혁신이 갑작스럽게 중단되거나 그동안 축적된 기술이 하루아침에 없어질 가능성이 높았던 것이다. 진시황의 분서갱유 같은 것을 말한다. 그러나 유럽은 지리적 분할 상태에서 서로 경쟁하고 한쪽이 죽으면 다른 쪽이 살아남으면서 마침내 강한 여러 국가들을 만들어냈다는 것이다.

고대 헬라문화의 그리스, 영원한 제국 로마를 지나, 대항해 시대의 포르투갈, 스페인, 네덜란드, 영국이 바통을 이었고, 프랑스와 독일이 독자적인 기술과 문화를 꽃피웠고, 오스트리아와 스위스가 존재감을 나타냈다. 분열만 해서는 강자가 되지 못한다. 분열과 융합이 공존해야 강할 수 있다. 하나의 포도송이 같은 묶음이 존재할 때 더 강해진다. 가는 막대기 하나는 부러뜨리기 쉽지만, 막대기 다발은 통나무보다 강하다. 유럽은 각기 다르면서도 하나다. 기독교 문화를 기반으로 한 거대한 유로 정체성을 가지고 서로 경쟁하면서 통합된 힘을 가지고 있다.

한국의 산은 우리 민족을 지켜준 성곽 역할을 했고, 문화적 다양성을 만들어 준 고마운 존재였다. 북방 민족들이 한국을 쉽게 보고 쳐들어왔다가 험준한 지형과 변덕스러운 기후와도 싸워야 했을 것이다. 특히 북쪽에 산이 더 높고 많은 것을 감사하게 생각한다. 만약 한국이 온통 평야지대였다면 외부 침략 한 번에 다 무너지고, 오늘날과 같은 정체성과 다양성을 만들어 내지 못했을지도 모른다.

그러나 다양성까지는 좋은데, 이를 넘어서 '분열의 만성화'가 될 경우 문제가 된다. 임진왜란 발발 2년 전, 사색당파 싸움이 심해지기 시작했다. 선조 23년 4월(1590년), 일본 도요토미 히데요시의 조선 침략을 알아보기 위해 조선통신사를 일본에 보냈다. 정사인 황윤길은 '병화가 곧 닥칠 것이다'라며 일본의 침략을 보고했고, 부사인 김성일은 '그런 일은 없을 것이다'라고 전혀 반대의 보고를 했다. 두 사람은 당파가 다르다.

조선 조정은 백성의 혼란을 우려해 김성일의 주장을 택했다. 아니 정권의 주류였던 김성일의 손을 들어주었다. 그 결과 국토가 유린되고, 백성은 도탄에 빠지고, 종묘사직이 풍전등화 상태가 되었다. 당파 싸움은 참 질기고 지겹다. 처음 훈구파와 사림파로 나뉘고, 사림파는 다시 동인과 서인으로, 서인은 노론과 소론으로, 노론은 다시 시파와 벽파로 나뉜다. 도대체 나누어 싸우지 않으면 성에 안차는 사람들인 것 같다.

보건사회연구원의 발표에 의하면 우리나라는 OECD국가 가운데 사회 갈등이 다섯 번째로 높고, 사회갈등지수도 34개국 중 27위에 그쳤다고 한다. 한 국가의 사회갈등지수가 10% 감소하면 1인당 GDP가 1.79% 증가한다고도 한다. 한 연구소 발표에 따르면, 우리나라는 한해 316조 원이라는 엄청난 사회갈등 비용을 지출하고 있다고 한다. 사회갈등비용이란 한 사회가 세대, 지역, 소득계층, 젠더, 종교, 민족 등 사회적 갈등으로 인해 발생하는 사회적 손실을 비용으로 나타난 것이다.

갈등을 줄이려면 무엇을 해야 하는가. 대립할 때에는 대립하더라도 협력을 할 줄 알아야 한다. 인간은 협력해서 오늘날까지 살아남았다. 고래보다 수영을 못해도 5대양 6대주를 누비고, 황소나 말보다 힘이 없어도 더 많은 짐을 나를 수 있으며, 독수리 같은 날개가 없어도 더 멀리 오래 날아갈 수 있다. 유발 하라리Yuval

Noah Harari는 〈사피엔스〉에서 '인간은 서로의 지식을 신뢰하고, 그에 더 좋은 지식을 더해서 더 좋은 결과를 만들 수 있었다'고 말했다.

우리나라는 임진왜란이나 코로나19처럼 국난을 당하면 하나로 뭉쳐 위기를 극복해 낸다. 그런 위기 극복 능력은 인정할 만하다. 그러나 일상에서 하나 됨은 부족하다. 꼭 무슨 위기가 닥쳐야 정신 차리고 힘을 모은다. 어떤 기부자가 사촌이 땅을 사면 배가 아프다는 한국 속담에서, 한국인의 시기심이 오히려 잘 살아보려는 의지와 혁신이 되었다는 말을 한 적이 있다. 그렇지만 내가 보기에 무조건 남 잘 되는 것을 싫어하는 한국인의 나쁜 면이 문제라고 생각한다. 미국사회에서 중국인이나 인도인들은 비즈니스 관계도 자기나라 출신끼리 서로 도와주면서 강력한 커뮤니티를 만든다. 그런데 한국인은 누군가 사업이 잘되면 한국인끼리 서로 투서를 넣고 고소한다는 것인데, 이걸 누가 좋은 면이라고 하겠는가.

2010년 1월, 21세기 최악의 지진 대참사로 기록된 아이티 대지진이 발생했다. 진도 7.0의 강진은 기반 시설이 열악한 카리브해의 섬나라 아이티를 초토화시켰다. 사망자만 32만 명, 아이티 인구의 3분의 1인 300만 명의 이재민이 발생했다. 한국과는 경제적, 문화적, 지리적으로 먼 나라였지만, 한국인들의 나눔 정신은 대단했다. 7만 명의 개인 기부자와 많은 기업이 기부대열에 동참해 1천1백만 달러를 모금해 지원했다. 정부는 750만 달러를 지원하면서 민간 기부금으로 250만 달러를 모아 천만 달러를 지원한다고 발표했는데, 당초 예상한 모금액의 4배인 천1백만 달러를 모금한 것이다. 이뿐 아니다. 각 교회와 종교기관들의 모금액을 합하면 그 이상이었다. 지금도 아이티 지원 민간 모금총액 기록은 찾아보기 힘들다. 그런데,

― 그다음이 문제였다.

세계 각국은 정부와 민간이 하나로 협력하여 국가별로 자기 나라의 깃발 아래 통합된 지원을 했다. 그러나 한국은 정부, 개별 NGO, 종교기관이 각기 다른 방식으로, 다른 지역, 다른 대상을 뿔뿔이 지원했던 것이다. 그 대단했던 나눔의 기적 효과를 제대로 살려내지 못했다.

사람은 누구나 마음에 산 하나는 두고 사는 것 같다. 험준한 산을 가진 사람도 있고, 야트막한 산을 가진 사람도 있다. 서로 협력하자. 지금은 산과 같은 지형이 가로막고 있는 시대도 아니지 않은가. 터널도 뚫고 교량도 놓을 수 있는 시대다. 그러므로 사람들의 마음을 잇는 다리도 놓고, 터널도 뚫어야 한다. 무엇이든 혼자만 똑똑하다고 해서 모든 것을 해결할 수 없는 시대이기도 하니까.

혐오와 차별
바이러스

코로나19 바이러스 확산 속도보다 사람들 사이에
혐오와 차별이 더 빠른 속도로 퍼져나간다는
생각이 들었다. 백신이 없을 뿐 치료가
불가능한 것이 아닌데도 사람들의 공포감은
더욱 커져갔다.

전 세계를 강타한 코로나19 바이러스는 그동안 감추어졌던 많은 진실을 드러냈다. 평소 우리가 알고 있던 것이 다가 아니라는 것을 새삼 알게 되었다. 물이 빠진 후에야 저수지 바닥이 어떻게 생겼는지 알 수 있듯이 인간군상의 밑바닥이 코로나19 덕분에 (?) 다 드러났다.

스페인에서는 요양원에 노인을 버리고 달아나 노인들이 침대에서 죽은 채 발견되는가 하면, 호주에서는 중국인 유학생이 무차별 구타를 당해 한 눈을 실명했고, 리스본 공항에서는 출입국 관리소 직원이 우크라이나인을 폭행하고 고문해 사망하게 했으며, 런던에서는 싱가포르 출신 학생이 구타당하는 등 전 세계가 혐오와 차별 바이러스로 몸살을 앓았다.

이게 그저 남의 나라 이야기가 아니다. 한국에서는 처음 코로나19가 발생했을 때 중국인들이 박쥐를 잡아먹어서 발생했다며 혐오 발언을 서슴지 않았다. 그러다가 신천지 교인으로 인해 대구에서 폭발적으로 늘어나자 '대구폐렴', 'TK폐렴'이라며 지역 비하와 종교 혐오가 확산되었다. 지역감염이 어느 정도 진정되다가 이태원 클럽을 통해 다시 확산되자 성소수자와 젊은 층으로 혐오와 차별이 퍼져나갔다. 무서운 신종 바이러스가 겨우 진정되다가 재확산되자 답답한 마음에 나도 모르게 차별 발언이 나오기도 했다.

우한시, 허베이성, 중국인에서 한국인 등 아시아인 전체로 혐오와 차별이 확산되었다. 입장이 바뀌면 이것이 얼마나 부당한지 깨닫는다. 누군가에게 한 '혐오와 차별'은 결국 내게 다시 돌아온다. 우리도 한국 내 중국인과 중국 동포를 차별하다가 다른 나라에서 차별을 당해 보니 이건 아니구나 싶었을 것이다. 어느 기부자의 이야기다. 동남아시아 어떤 나라에 사업장이 있어 자주 가고, 그 나라를 정말 사랑했는데, 이번에 그 나라로부터 한국인에 대한 혐오와 차별을 겪어보고 나서 다시는 그 나라에 가고 싶지 않다는 생각이 들었다고 한다. 유럽인들은 감염자도 동아시아보다 많으면서 아시아인들이 지나가면 '코로나 온다'며 피한다고 한다. 어이가 없다. 그 자랑스러워하던 시민의식과 교양은 다 어디로 간 것일까? 코로나19가 인간의 가면을 벗겨버린 게 아닌가.

코로나19 바이러스 확산 속도보다 사람들 사이에 혐오와 차별이 더 빠른 속도로 퍼져나간다는 생각이 들었다. 백신이 없을 뿐 치료가 불가능한 것이 아닌데도 사람들의 공포감은 더욱 커져갔다. 이제야 비로소 우리는 알게 되었다. 지지고 볶고 '헬조선'이다 뭐다 해도 내 조국이 최고라는 것을. 나라와 건강은 잃어봐야 소중함을 안다는 것을. 일상의 소중함, 가족의 소중함, 내가 가진 것들의 소중함, 나라의 소중함을.

— 코로나19가 알려준 것이다.

코로나19는 인종, 나이, 성별, 국적을 가리지 않고 퍼졌다. 이로 인해 사회적 거리는 늘어났지만 가족 간의 거리가 좁혀졌다. 폭력이 늘어난 가정도 있고, 친밀함이 더 좋아진 가정도 있다. 결국 감추어졌던 진실이 다 드러난 것이다.

그동안 우리는 자신을 향해 혐오와 차별을 하지 않는 꽤 괜찮은 사람이라고 생각했다. 시민의식과 교양을 가진 선진국의 시민들은 모두 괜찮은 국가의 품격 있는 시민이라고 여겼다. 그러나 결과는? 식료품 사재기에 줄 서다가 주먹을 휘두르고, 가족을 버리기도 하고, 숨겨져 있던 폭력성을 드러내기도 하고, 차별적인 사람은 노골적으로 더 적의를 드러냈으며, 공동체보다는 자신만을 위한 이기적인 본성의 밑바닥을 드러내지 않았던가?

그러나 더 무서운 것이 따로 있다. 이로 인해 사회에서 가장 약하고 힘없는 고리에 있는 사람들이 점점 더 잊힌다는 것이다. 노숙인을 위한 무료급식이 중단되고, 복지관이 문을 닫고, 각종 복지사업들이 줄줄이 취소되면서 가뜩이나 어려운 사람들을 더 소외되고, 격리되고 있다.

편집여담

편집자 마담쿠와 코디정이 이 책을 기획하고
편집하는 과정의 뒷얘기를 대화 형식으로
독자에게 전한다.

마담쿠: 사랑의열매 사회복지공동모금회를 상징하는 로고 좀 보여주세요.

코디정: 네. ♣

마담쿠: 한국인 중에 이 로고를 모르는 사람이 있을까요? 한 번쯤은 모두 봤을 거예요. 그런데 언젠가 공동모금회에 무슨 '비리'가 있다, 어떻게 믿고 기부하느냐, 뭐 그런 말이 나왔던 것 같아요. 혹시 아세요? 정확히 무엇인지는 모르겠지만 그 부정적인 인식에 대해서요.

코디정: 잘 몰라요. 오래 전에 그런 얘기를 지나가면서 듣기는 했어요. 하지만 저는 흉흉한 소문을 잘 믿지 않는 편이어서요.

마담쿠: 이 책 3장의 〈악몽과 같은 그때〉라는 제목의 에피소드를 편집하면서 제가 갖고 있던 나쁜 잔상이 이것이었구나 싶었어요. 그런데 정확히는 잘 모르겠어요. 책 속에 사실관계가 구체적으로 나온 것은 아니라서 문득 궁금해졌어요. 저자에게 아픈 기억인 것 같아서 선뜻 물어보지는 못하겠더라고요. 궁금하기는 하지만 중요하지는 않은 문제. 하지만 가볍게 지나치기에는 사랑의열매에 관련한 나쁜 잔상을 없애고 싶은 마음도 들었고요.

코디정: 제가 당시 언론보도를 살펴봤어요. 아휴, 엄청 많았더군요. 거의 모든 언론에서 '비리로 썩은 사랑의 열매'라고 비난했어요. 우리 국민들이 혐오하는 천태만상의 비리가 나열되어서 마치 공동모금회를 해체해야 하는 수준이었습니다. 2010년 10월과 11월 뉴스가 대부분 그런 거

였어요. 그러다가 그해 12월 16일자 국민일보 〈모금회 비리 매질이 너무 세다? 사회복지공동모금회 꼼꼼히 들여다보니〉라는 기사에서 비로소 사실관계를 차분히 살펴보더군요. 그 당시 이명박 이데 과도한 사랑의열매 때리기에는 그런 정치적인 목적도 개입되었으리라는 기사도 보였습니다.

마담쿠: 뭐가, 문제였나요? 결론은 뭐래요?

코디정: 글쎄요. 모금비용의 집행 문제와 임직원 급여 문제 등이 지적됐어요. 사실도 있고 과장도 있고요. 어쨌든 여러 문제가 섞여 있었습니다. 아픈 이야기죠. 벌써 십 년이 지난 옛 이야기이고요. 인터넷에서 검색하면 그때 기사들이 나오니 얼마든지 독자들이 살펴볼 수 있어요. 저자의 〈악몽과 같은 그때〉를 아주 실감나게 느낄 수 있습니다. 일반 사람들이야 그냥 실컷 비난하면 그만이겠지만, 현장에서 활동하는 모금가들의 마음속에 그 비난이 얼마나 큰 상처로 남았을까 생각해 볼 수 있었어요.

마담쿠: (당황) 이런, 모금가의 상처를 제가 다시 건드렸나요?

코디정: (웃음) 아니, 설마요. 당시 기부자의 상처도 있었을 텐데요. 게다가 나쁜 기억은 항상 잊지 말고 죽비로 삼는 것도 좋잖아요. 저자도 그런 태도이고요.

마담쿠: '죽비로 삼는 태도'라는 말이 좋네요. 사실 시민단체도 그렇고 기부기관도 그렇고 힘써 모은 돈을 어떻게 썼느냐는 항상 중요하고 민감한 문제잖아요. 요즘은 해마다 모든 회계사항을 투명하게 공개하도록 제도화되어 있

어서 모금가에게도 기부자에게도 다행이라고 생각해요. 그런 의미에서 저는 기부금보다 기부자와 모금가에 시선을 둔 이 책을 편집할 수 있어서 보람을 느껴요. 저자가 직장인 평생을 사랑의열매에서 모금가로 활동했다는 점을 조금 더 강조하고 싶고요. '모금가'라는 단어가 참 좋았어요?

코디정: 마치 '음악가', '화가', '작가'처럼?

마담쿠: (웃음) 맞아요. 어떤 특별한 세계에서 일하는 직업군을 모르고 있었는데 새로운 단어를 접하자마자 그 세계의 존재를 단번에 알게 되는, 그런 느낌이에요. 저자의 원고를 보고, 또 '모금가'라는 낯선 낱말을 접하면서, 어쩐지 인생의 지경이 넓어지는 기분이 드는 거예요. 아, 그렇지. 돈으로 남을 도와주는 사람이 있고, 그 도움을 받는 사람이 있다면 그 사이를 이어주는 사람이 있겠구나.

코디정: 저도 그런 체험을 했습니다. 그래서 부제에 '모금가'라는 단어를 사용하게 됐어요.

마담쿠: 저자가 처음 원했던 제목은 〈수영을 배우는 물고기〉였습니다. 그런데 중간에 〈굿머니〉로 바꾸었고요.

코디정: 책의 제호는 출판사의 기획단계에서 혹은 저자의 초고에서 바로 정해지지는 않아요. 책이 만들어지는 과정에서 여러 번 바뀝니다. 저자와 편집자는 함께 뜻을 모아 제호를 정하게 되는데, 내용보다는 제목을 보고 책을 선택하는 독자들이 많고, 이렇게 좋은 내용이 제목 때문에 외면당하면 안타깝기 그지없지요. 정말 좌고우면합니다.

마담쿠: 처음 〈수영을 배우는 물고기〉라는 제호를 보고 갸우뚱
했어요. 무슨 의미지? 책은 한번 세상에 나오면 바꿀 수
도 없어서 내용에 맞는 가장 좋은 제목을 정하는 건 참
어려운 일이에요.

코디정: 저도 처음에는 제목의 의미를 몰랐어요. 5장 첫 번째 에
피소드를 읽고 나서야 비로소 아, 겸손이며, 낮은 자세
로 배우려는 항상심이구나, 라고 생각하게 됐다니까요.
문구를 보자마자 무슨 뜻인지 직관적으로 알아채지 못
하는 표현은 제호로는 적합하지 않아요. 고심 끝에 결정
된 제호가 〈굿머니〉였습니다. 결국 이 책은 돈 이야기니
까요. 모금과 기부와 경제적인 도움, 그리고 여러 사람
들 이야기. 영어 단어 Good굿은 다양한 뜻을 담고 있는
매우 깊고 풍성한 단어입니다. 그것이 Money머니와 연
결되어, 이 책에 다양한 에피소드로 담긴 선한 돈, 좋은
돈, 훌륭한 돈, 행복한 돈, 건강한 돈, 즐거운 돈이라는
의미를 만들어내니까요.

마담쿠: 저도 좋은 제목이라고 생각했어요. 사람들은 돈을 어떻
게 잘 벌 것인가에 관심이 많습니다. '빅머니'에 환호하
는 세상이지요. '빅머니'도 '투머치머니'도 다 좋아요.
하지만 그게 모두 '배드머니'라면 얼마나 끔찍한 세상일
까요?

코디정: 그래서 저자의 '굿머니' 이야기가 빛나야겠지요.

마담쿠: 이 책의 기획 이야기를 짧게 해 보지요. 몇몇 독자들은
아실 것 같습니다만, 우리 이소노미아 출판사가 〈인류

천재들의 시리즈〉라는 고전 전집을 펴내면서 그것을 사랑의열매의 '착한 권리'라는 기부 프로그램에 연계했습니다. 고전이어서 저작권은 옛날에 소멸되었지만, 그래도 저작권료에 상당하는 금액을 사랑의열매에 기부해오고 있잖아요. 그러면서 사랑의열매에서 일하는 서사를 몇 번 만났고요.

코디정: 네. 저자와 함께 점심식사를 하는데, 이분과의 대화가 매우 재미있었어요. 유쾌했고요. 거의 촌철살인급의 대사가 쏟아내셨지요. 모금과 관련된 여러 비하인드 스토리도 들려주셨는데 좀처럼 들을 수 없는 희귀한 체험이라는 생각이 들더군요. 게다가 독서량이 장난 아니라는 것도 알게 되었고요.

마담쿠: 그래서 제안하셨다?

코디정: 네.

마담쿠: 당시 코디정은 어떤 컨셉의 책을 생각하셨나요?

코디정: 당시 저는 아주 여백이 많은 시적인 책을 생각했어요. 틀림없이 저자가 짧지만 매력적인 문장을 글로 담아내실 것 같고, 그러면 그 문장에 담겨 있는 넓은 마음을 독자에게 잘 전하면 되지 않을까, 라는 생각이었거든요. '너비'만 생각했던 거지요.

마담쿠: 그런데?

코디정: 그런데 저자께서 보내주신 원고는 너비가 아니라 깊이였어요. 원고 분량도 제가 생각했던 것보다 훨씬 많았고요.

마담쿠: 맞아요. 처음에는 우리가 좀 당황했어요. 사실 깊이만

있는 게 아니라 너비도 대단한 내용이었으니까요. 아, 저서 기획을 할 때에는 조금 더 구체적으로 가이드를 만들어서 저자와 소통해야겠구나, 저자가 평생 품고 있던 생각과 잊지 못할 경험을 모두 글 안에 담으셨구나… . 그래서 처음에는 이걸 어떻게 편집해야 할지 좀 무서웠습니다.

코디정: (웃음) 그래도 결국 일은 잘 되었어요. 이렇게 멋진 책이 나오게 되었으니까요. 다만 이 책에 실리지 못한 상당한 분량이 글이 있잖아요. 그건 편집자로서 저자에게 죄송스럽게 생각합니다.

마담쿠: 글로 표현된 생각은 어디로 사라지지는 않기 때문에 언젠가 기회가 되면 다른 형태로 모이겠지요.

코디정: 저도 그렇게 생각해서 저자에게 양해를 구했어요. 아, 그런데 우리 대화에서 한 가지를 빼먹었네요. 저희가 저자에게 책을 펴내자고 제안했잖아요? 그때 저자가 웃으면서 지갑에서 모서리가 해진 쪽지 하나를 꺼냈습니다. 평생 소원 세 가지를 손글씨로 적은 메모였어요.

마담쿠: 어떤 메모였나요?

코디정: 하나는 '세계 3대 폭포 가보기'였습니다. 나이아가라, 이과수, 빅토리아 폭포를 가보는 게 꿈인데 아직 한 곳도 가보지 못했대요. 다른 하나가 바로 '한 권의 책을 쓰기'였어요. 바로 이 책이지요. (마지막 하나는 잘 기억이 안 납니다)

마담쿠: 멋지네요! 이 책으로 꿈 한 가지는 이뤄지겠군요.

코디정: 네. 매우 뿌듯한 일이지요. 저자의 나머지 꿈도 꼭 이루어지기를 바랍니다! 끝으로 저는 이 책을 편집하는 과정에서 적지 않은 위로를 얻었음을 이야기하고 싶어요. 세상은 이런저런 고통으로 가득합니다. 2020년은 특히 코로나19 때문에 인류가 큰 위험에 직면해 있고요. 그러나 이 세상 곳곳에서 남을 돕기 위해 애쓰는 마음이 있다는 게, 순수하든 순수하지 않든, 누군가를 돕는 노력이 있다는 게 얼마나 대단한 일인가요. 많은 독자가 이 책에서 저처럼 위로를 얻기를 바랍니다.

마담쿠: 공감해요. '공감'이라고 말하고 보니까, 제2장 〈따뜻한 이타주의자와 냉정한 이타주의자〉에 적힌 글이 생각나요. 그 에피소드에서, 아, 정말, 제가 좀 배웠습니다. 저자에게 고마움을 느껴요. 고맙습니다. 마지막으로 이 책을 쓴 저자를 소개하고, 그의 에필로그를 듣도록 하겠습니다. 여기까지 읽어주신 독자 여러분에게도 감사의 마음을 전합니다.

김효진 | 1970년 3월, 서울에서 태어났다. 서울 금천고, 고려대학교 국어국문학과 졸업했다. 동양그룹 기획조정실 홍보팀에서 일하다가 IMF 경제 위기를 맞았다. 1999년 6월 사랑의열매 사회복지공동모금회에 입사했다. 영리 조직에서 비영리 단체로 옮기면서 삶과 인생의 전환점을 맞이했다. 사회복지공동모금회 중앙회 홍보실장을 하면서, 2010년 10개 대학 광고홍보학과 교수들이 선정한 '파워풀 홍보인 47인'에 선정되기도 했다. 충북지회

사무처장, 중앙회 국민참여추진단장, 경기지회 사무처장, 중앙회 모금사업본부장, 자원개발본부장을 거쳐 현재 전략기획본부장으로 일하고 있다. 글 쓰는 직업이 적성에 맞을 것 같다는 초등학교 5학년 담임 선생님의 말씀을 마음에 담아 국문학과를 택했으나 평범한 직장인이 되어 여기까지 왔다.

에필로그

"손님, 포인트 2천 점 있는데, 사용할까요?"라고 점원이 물어보면, 언제부터인가 거침없이 "네."라고 답합니다.

내일 어떻게 될지 아무도 모르니까요. 인생은 알 수가 없습니다. 내 현재 모습도 과거에 예측하거나 바란 것은 아니었습니다. 흘러가다 보니 이렇게 되었습니다. 대부분 평범한 사람들이 그렇지요. 무엇이 되겠다고 결심하고, 그걸 이룬 사람들은 참 대단한 사람들입니다. 인생 굴곡에서 무엇인가를 선택하고 살아남기 위해 발버둥치다 보면 현재 서 있는 자리에 서게 됩니다.

삶은 무한의 수직선입니다. 내 인생은 그 수직선에 있는 작은 점에 불과합니다. 그 찰나의 순간을 사는데도 불멸이 되고 싶은 것은 당연한 인간의 욕망이지요. 모든 것에는 끝이 있고, 좋은 것이든 나쁜 것이든 소멸이라는 낭떠러지를 피해갈 수가 없습니다. 그래도 인간에게 한 가지 희망이라면, 좋은 쪽으로 오래도록 사람들의 기억에 남는 것입니다.

〈굿머니〉 제1장 '남을 돕는 사람들'에는 자신의 삶이 끝나더라도 그 나눔의 마음이 불멸로 남는다는 것을 아는 사람들의 이야기를 담았습니다. 옥탑방 김춘희 할머니와 삿포로 나카하라 할아버지는 생생하게 불멸로 남아 있습니다. 기부자들은 기부하면 할수록 겸손해진다고 합니다. 삶의 유한함을 받아들였기 때문에 진정한 겸손의 의미를 알았던 것은 아닐까요?

기부는 착하고 선한 사람들만 하는 천사의 영역이 아닙니다. 삶의 일부분이고, 경제활동의 하나입니다. 기부자들은 보다 나은 세상을 위해 투자하는 '레인메이커'들입니다. 그래서 기부자들은 믿고 맡길 수 있는 모금가를 원합니다. 돈이란 돌고 돌아서 '돈'이라고 부른다고 하지 않던가요. 돈은 아무 잘못이 없습니다. 쓰는 사람이 〈굿머니〉를 만들거나 〈배드머니〉를 만드는 것입니다. 모금가는 제2장 '어떻게 도울 것인가'에서 나왔듯이, 지원받는 사람들에 대해 동정의 시선이 아니라, 공감의 시선으로 안내할 수 있어야 합니다.

아직도 모금에 종사하는 사람들 대부분은 자신을 '모금가'라고 부르지 않습니다. 최근 모금가협회도 생기고 관련 책도 나왔지만, 아직도 생경하게 들립니다. 아마도 전문직업인으로서 모금가라고 불릴 자격이 있는지 스스로 부끄러워하고 있는 것은 아닐까요. 저도 이소노미아 출판사에서 〈굿머니〉의 부제를 '모금가 김효진의 돈과 사람 이야기'라고 붙였을 때, 심한 불편함과 부끄러움을 느꼈습니다. 아마도 자신의 부족함에 대한 자각 때문이었을 겁니다. 그래도 누군가 나서서, 뻔뻔하게 모금가라고 타이틀을 붙이면, 제2, 제3의 모금가, 즉 내가 꿈꾸는 '모금왕'도 나올 수도 있겠다는 생각이 들었습니다. 한국은 모금업을 제대로 하는 전문가가 더욱 많이 나와야 더 좋은 사회가 될 수 있습니다.

제5장 '수영을 배우는 물고기' 편에서, 모금가란 인생을 배우는 직업이기 때문에, 겸손해진다고 말했습니다. 자신이 모든 것을

해결하는 것은 아닙니다. 다른 사람의 도움 없이 어떤 것도 할 수가 없습니다. 모금을 하면서 비로소 나도 무언가 이 사회에 기여하는, 작은 그릇 구실이라도 할 수 있다는 위로가 생깁니다. 모금이란 내가 만든 질그릇에 빗물을 담는 것과 같습니다. 비가 내리고 안 내리는 것은 내가 어쩔 수가 없습니다. 운명입니다. 그러나 그 질그릇을 크고 튼튼하게 잘 빚는 것은 모금가가 할 몫입니다. 비가 내렸을 때 빗물을 받고, 새어나가지 않도록 하는 일입니다.

모금을 단지 생업이나 업무의 하나로 치부하기에는 너무나 깊은 인생의 무게가 있습니다. 힘든 일의 기록이 아니라, 배움의 일들로 기억하면, 영속적인 성장을 느낍니다. 날마다 새롭지 않은 것이 없습니다. 배울 것이 많다고 생각해야 성장할 수 있지요. 그래서 모금가는 언제나 배우는 자세로 임해야 합니다.

아마도 내가 열두 살 때의 일인 것 같습니다. 나는 뾰족한 기와지붕 위에 올라가서 웅장한 내 미래 모습을 상상했습니다. 그때 나 자신에게 '지금 이 순간을 절대 잊지마'라고 스스로 말해두었습니다. 그래서인지 오랫동안 지붕 위에서 바라본 마을 풍경이 어제 본 것처럼 또렷합니다. 소년은 원대한 꿈을 꾸었건만 평범한 사람이 되었습니다. 평범해도 자기가 하고 있는 일을 비범하게 생각하는 '근거 없는 자신감'만 있으면 인생은 덧없지는 않을 것입니다.

지금 새로운 지붕을 찾아 올라간 것 같습니다. 〈굿머니〉는 내게 하나의 꿈을 실현하는 일이었습니다. 유한한 내 인생에 작은 기록을 이 세상에 유서처럼 남기고 싶었습니다. 책을 한 권 쓴다는 것은 내 오래된 꿈이었습니다. 내가 비록 덧없이 생을 마감하더라도 무언가 세상에 흔적을 남길 수 있겠다는 생각이 들었습니다. 내 오래된 꿈을 실현해주신 이소노미아 출판사 마담쿠 님과 코디정 님에게 진심으로 감사드립니다. 모금을 통해 성장할 수 있도록 배움과 기회를 주신 분들과 사랑의열매 직원 그리고 인생의 궤도에서 나를 믿어주고 응원해 주고 있는 소중한 가족들에게도 감사드립니다.

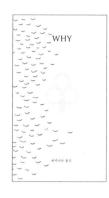

WHY: 세 편의 에세이와 일곱 편의 단편소설
2018-09-04 발행
지은이 | 버지니아 울프
번역 | 정미현
정가 | 12,000원
ISBN 979-11-962253-2-2

한 번의 독서로 버지니아 울프의 작품세계와
작가정신을 동시에 체험할 수 있는 책

굿윌: 도덕 형이상학의 기초
2018-09-04 발행
지은이 | 임마누엘 칸트
번역 | 정미현, 방진이, 정우성
정가 | 13,000원
ISBN 979-11-962253-3-9

교보문고 오늘의 책으로 선정된, 평범한
한국인이 읽을 수 있는 유일한 칸트 번역서

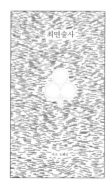

최면술사: 마크 트웨인 단편집
2019-3-25 발행
지은이 | 마크 트웨인
번역 | 신혜연
정가 | 13,000원
ISBN | 979-11-962253-6-0

피곤하고 지친 현대인에게 마크 트웨인이
선물하는 보약 같은 유머

타인의 행복: 공리주의
2018-12-31 발행
지은이 | 존 스튜어트 밀
번역 | 정미화
정가 | 13,000원
ISBN | 979-11-962253-4-6

〈공리주의〉를 쉽고 명쾌하게 번역해 낸
고전 중의 고전

소나티네: 나쓰메 소세키 작품집
2019-04-30 발행
지은이 | 나쓰메 소세키
번역 | 김석희
정가 | 15,000원
ISBN | 979-11-962253-7-7

매혹적인 나쓰메 소세키. 그의 폭넓고
깊은 정신세계를 체험해 보세요

휴머니타리안: 솔페리노의 회상
2019-02-20 발행
지은이 | 앙리 뒤낭
번역 | 이소노미아 편집부
정가 | 15,000원
ISBN | 979-11-962253-5-3

수많은 생명을 구한 책입니다. 국제적십자
운동을 촉발시킨 인류애 가득한 전쟁르포

무너져 내리다: 피츠제럴드 단편선

2020-05-25 발행

지은이 | 스콧 피츠제럴드

번역 | 김보영

정가 | 15,000원

ISBN 979-11-962253-8-4

이것이 스콧 피츠제럴드입니다. 작품에 담긴
사랑 이야기와 현실 속 작가의 좌절 이야기

스물여섯 캐나다 영주: 인생에는 플랜 B가 필요해

2020-09-25 발행

지은이 | 그레이스 리

정가 | 12,000원

ISBN | 979-11-90844-07-9

인생의 목표를 잃어버린
어느 사회초년생의 플랜 B 이야기

CREDIT

굿머니
모금가 김효진의 돈과 사람 이야기

발행일 | 2020년 11월 2일 1판 1쇄

지은이 | 김효진

편집 | 마담쿠, 코디정
디자인 | 공간42, 카리스북

펴낸곳 | 이소노미아
　　　　서울시 종로구 율곡로 2길 7 서머셋팰리스 303호
　　　　T. 010 2607 5523　F. 02 585 9028　E. h.ku@isonomiabook.com

펴낸이 | 구명진

ISBN 979-11-90844-09-3

이 도서의 국립중앙도서관 출판예정도서목록(CIP)은 서지정보유통지원
시스템 홈페이지(http://seoji.nl.go.kr)와 국가자료종합목록 구축시스템
(http://kolis-net.nl.go.kr)에서 이용하실 수 있습니다.
(CIP제어번호 : CIP2020044797)